KB086624

Grammar
Mentor
pre
Joy

Longman
Grammar Mentor Joy pre

지은이 교재개발연구소
편집 및 기획 English Nine
발행처 Pearson Education South Asia Pte Ltd.
판매처 inkedu(inkbooks)
전화 02-455-9620(주문 및 고객지원)
팩스 02-455-9619
등록 제13-579호

ISBN 979-11-88228-44-7

Longman

Grammar Mentor Joy pre

Grammar Mentor Joy Pre는 영어 문법을 처음 시작하는 초보 학습자를 위한 교재입니다. 영어 문법을 시작하기 전 알아야 할 기본적인 개념과 원칙들을 학습할 수 있도록 단계별로 구성하고 있습니다. 특히 **Grammar Mentor Joy Pre**는 Grammar Mentor Joy 시리즈의 가장 처음 단계로 본격적인 영문법 학습에 앞서 기초를 다질 수 있는 교재입니다.

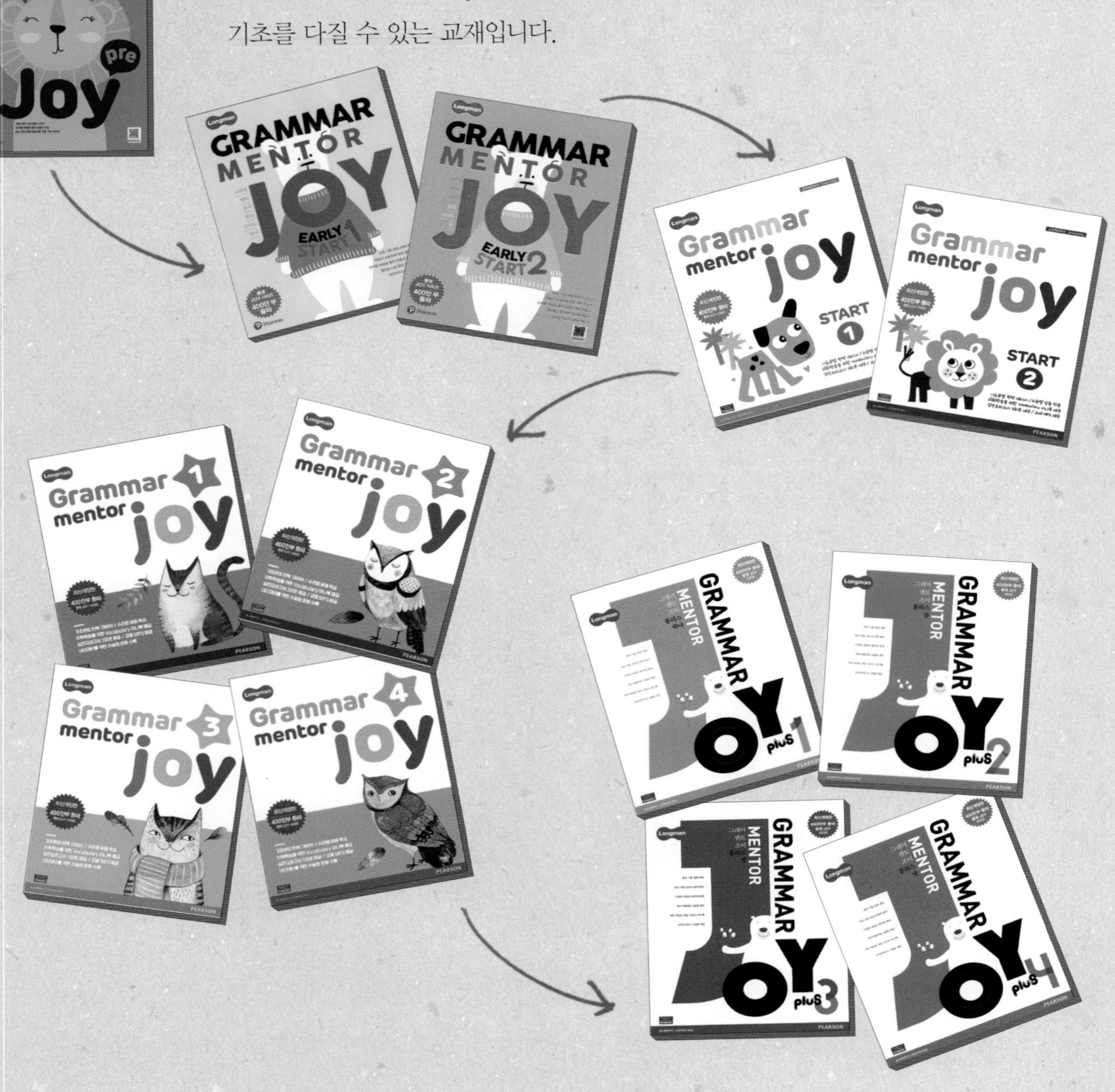

Syllabus

Grammar Mentor Joy Pre는 총 8주의 학습시간으로 구성되어 있습니다. 각 Chapter는 2개의 Unit과 복습할 수 있는 Level Up과 Actual Test로 구성되어 각 Chapter당 1주일에 총 3회의 학습으로 구성하였습니다. 또한 반복 학습을 할 수 있도록 부가적으로 워크북을 제공하고 있으며, Chapter가 끝나면 Actual Test로 이해 정도를 확인할 수 있습니다.

Grammar Mentor Joy Pre 교재를 통해서 영어 문법의 기초를 단단하게 다지시기 바랍니다.

Month	Week	Chapter	Unit	Homework
1st	1	1 명사	1 명사	각 Chapter별 단어 퀴즈 제공 – 각 Chapter별 드릴 문제 제공 (워크북) – 각 Chapter별 추가 문제 제공 (선생님용)
			2 명사의 복수형	
			Level Up & Actual Test	
	2	2 형용사	1 형용사	
			2 형용사와 명사	
			Level Up & Actual Test	
	3	3 대명사	1 I, We, You	
			2 He, She, They, It	
			Level Up & Actual Test	
	4	4 be동사의 부정문과 의문문	1 be동사의 부정문	
			2 be동사의 의문문	
			Level Up & Actual Test	
2nd	5	5 this / that / these / those	1 this와 that	
			2 these와 those	
			Level Up & Actual Test	
	6	6 일반동사 Ⅰ	1 일반동사의 의미	
			2 일반동사의 모양	
			Level Up & Actual Test	
	7	7 일반동사 Ⅱ	1 일반동사 부정문	
			2 일반동사 의문문	
			Level Up & Actual Test	
	8	8 my me / your you / his him / her her	1 소유를 나타내는 표현	
			2 동사의 직접적인 대상	
			Level Up & Actual Test	

Grammar Mentor Joy Pre는 8개의 Chapter로 구성되어 있습니다.
각 Chapter는 2개의 Unit으로 구성되어 있고, 2개의 Unit이 끝난 후에는 Chapter 내용을 복습할 수 있는 Level Up과 Actual Test가 나옵니다.

Unit 설명

각 Chapter마다 2개의 Unit으로 나누어 쉽게 문법 내용을 설명하고 있습니다. 삽화를 함께 곁들여서 직관적으로 이해할 수 있도록 했습니다.

Warm Up

앞에서 설명한 내용을 제대로 이해했는지 체크하고 본격적인 문제 풀이에 앞서 기본적인 내용을 한 번 더 확인할 수 있도록 했습니다.

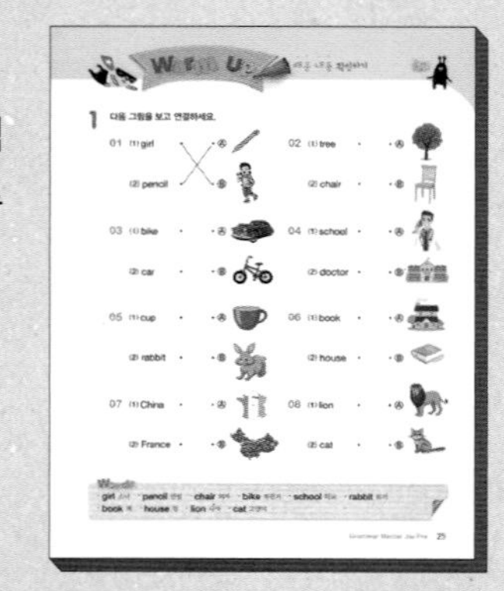

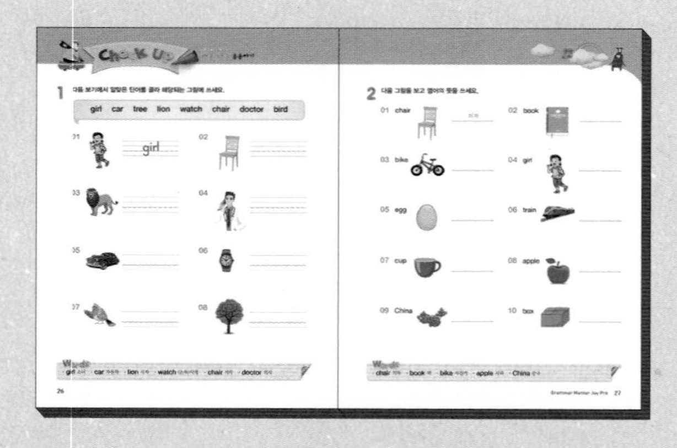

Check Up

각 Unit에서 학습한 내용을 문제를 통해서 확인해 볼 수 있도록 했습니다. Unit에서 다루는 가장 기본적인 핵심 내용을 다루고 있습니다.

Level Up

각 Chapter가 끝나면 Unit에서 다뤘던 기본적인 문법 사항을 활용해서 실력을 향상시킬 수 있는 다양한 유형의 문제 풀이를 준비했습니다. Chapter의 내용을 복습하면서 응용력을 향상시킬 수 있는 단계입니다.

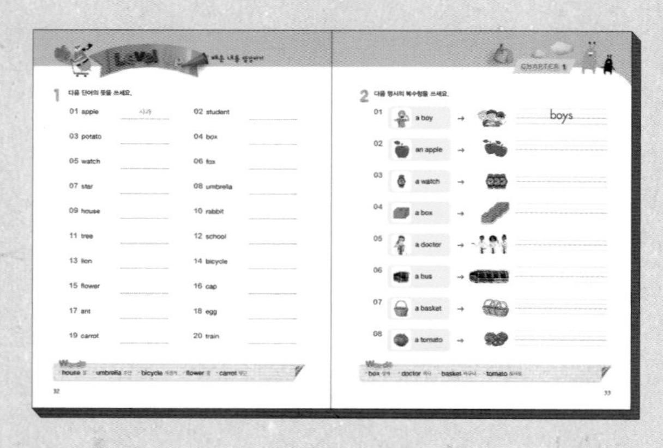

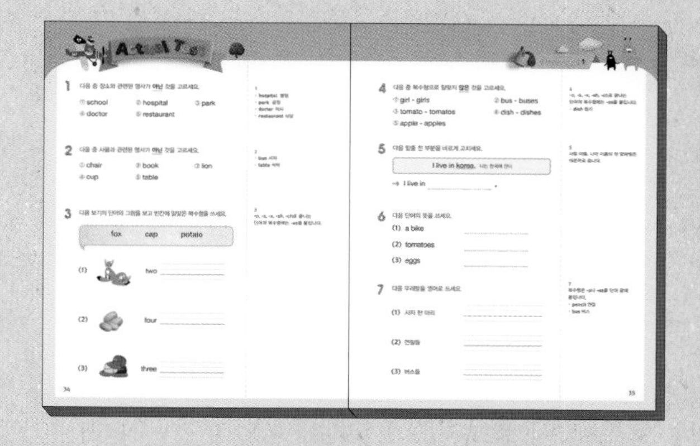

Actual Test

각 Chapter가 끝나면 시험에서 볼 수 있는 유형의 문제들을 실전처럼 풀이할 수 있도록 제공하고 있습니다. 앞에서 배운 내용을 다시 한 번 복습할 수 있는 기회가 됩니다.

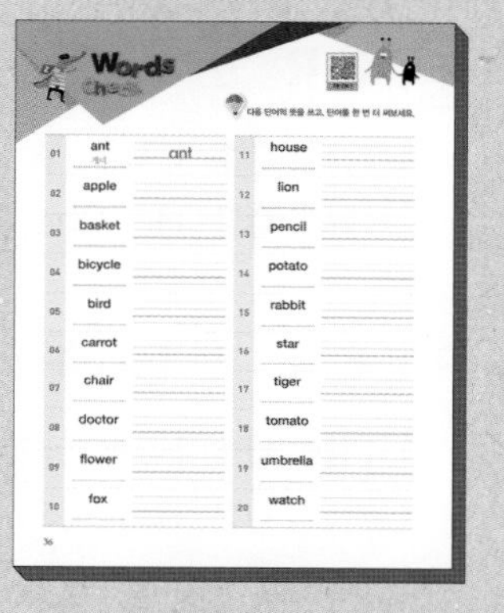

Words Check

다음 Chapter로 넘어가기 전에 잠깐 쉬어 가세요! 앞에서 등장하는 어휘들을 확인해 보고 직접 쓰면서 쉽게 암기할 수 있습니다.

Answers

정답을 확인해 보고, 해석과 해설을 통해서 놓친 부분들도 함께 학습해 보세요.

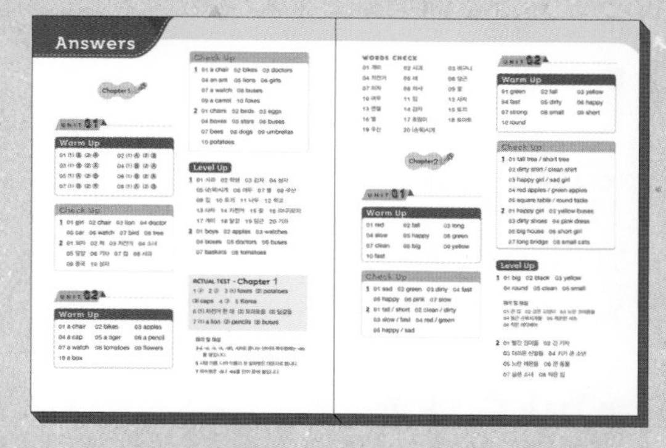

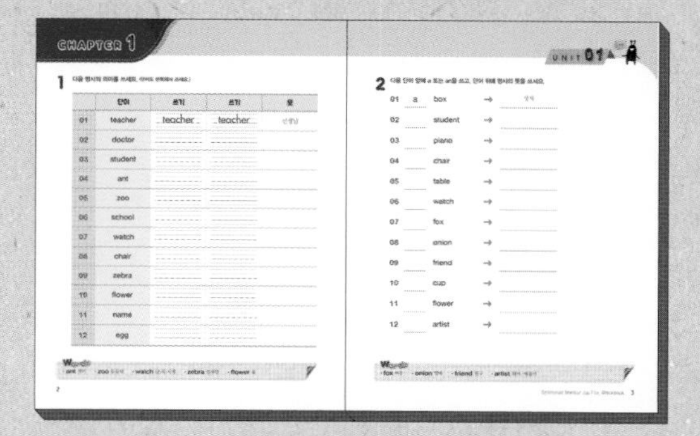

Workbook

각 Chapter에서 배운 내용을 한 번 더 복습할 수 있도록 다양한 문제가 제공됩니다. 스스로 학습할 수 있는 기회로 삼아 보세요.

Contents

Alphabet
Words
Sentences

Alphabet

알파벳은 무엇인가요?

우리말은 ㄱ, ㄴ, ㄷ, ㄹ, ㅁ, ㅂ, …… 등과 ㅏ, ㅓ, ㅗ, ㅜ, ㅡ, ㅣ가 모여 하나의 의미 단위 즉, 한 단어, 구, 문장을 만듭니다. 우리말의 한글 자음, 모음에 해당하는 것이 영어의 알파벳입니다.

대문자 알파벳

A B C D E F G H I
J K L M N O P Q R
S T U V W X Y Z

소문자 알파벳

a b c d e f g h i
j k l m n o p q r
s t u v w x y z

Alphabet Writing 알파벳 쓰기

알파벳은 대문자와 소문자 모두 글 쓰는 순서와 삼선지에서의 위치가 달라져요.

아래와 같이 따라서 써보세요.

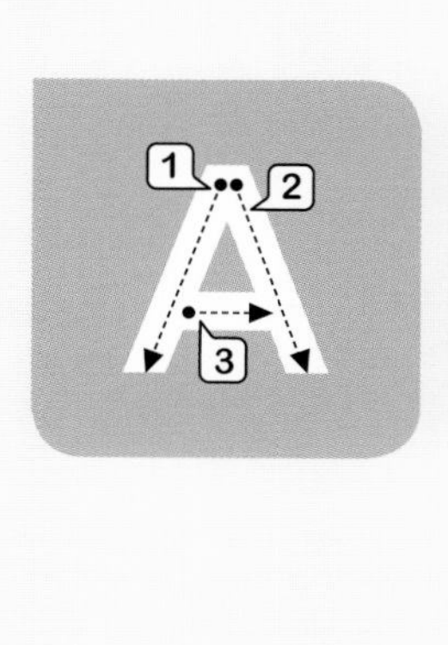

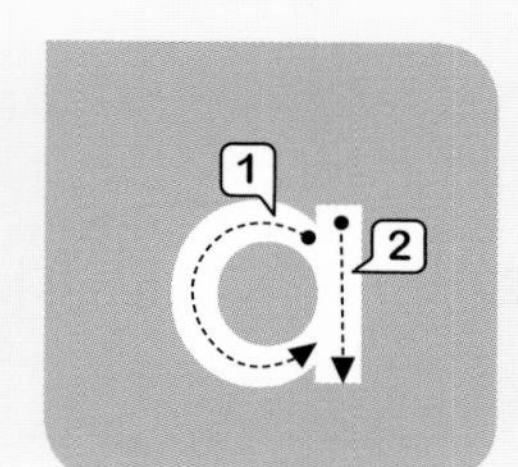

← A는 우리말로 에이 라고 읽습니다. 소문자는 a입니다.

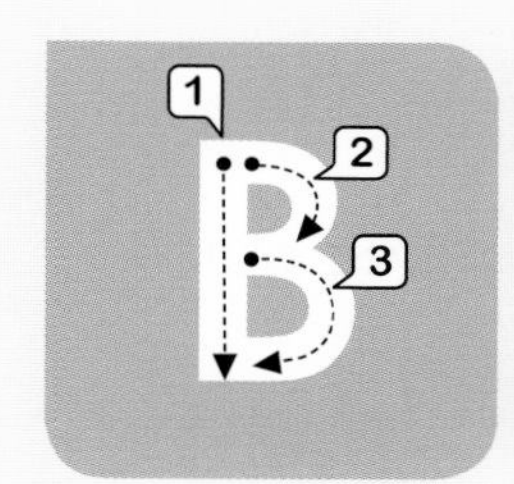

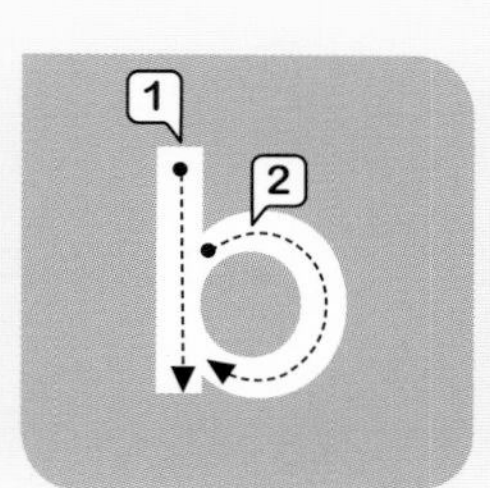

← B는 우리말로 비이 라고 읽습니다. 소문자는 b입니다.

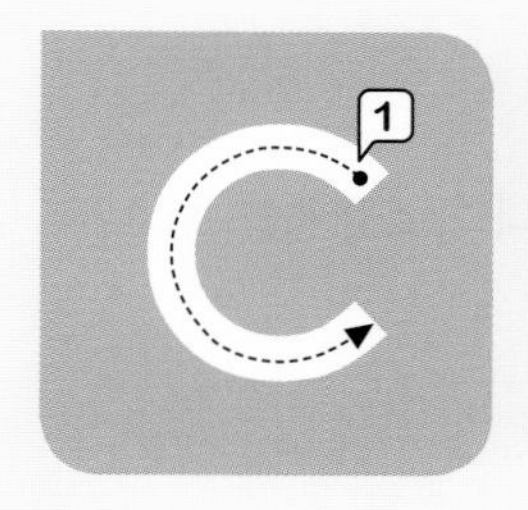

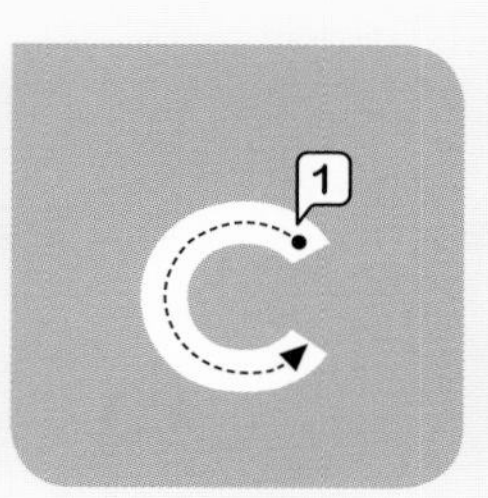

← C는 우리말로 씨이 라고 읽습니다. 소문자는 c입니다.

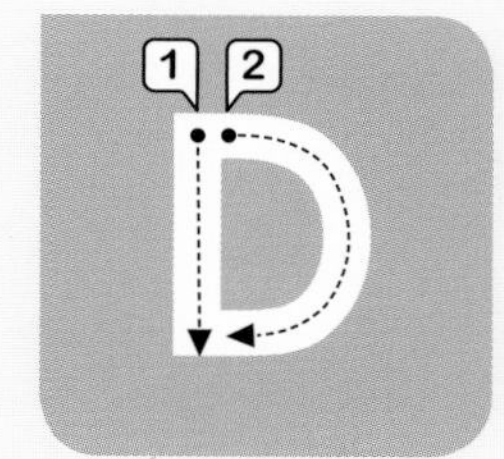

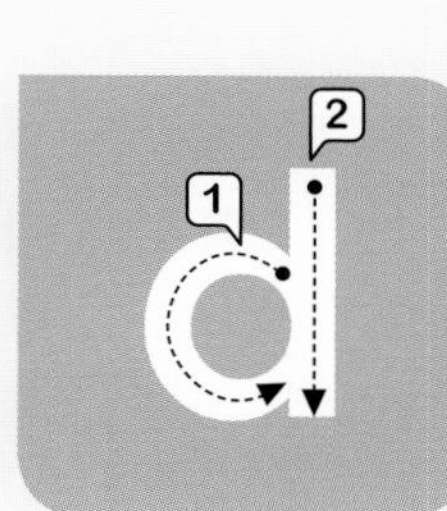

← D는 우리말로 디이 라고 읽습니다. 소문자는 d입니다.

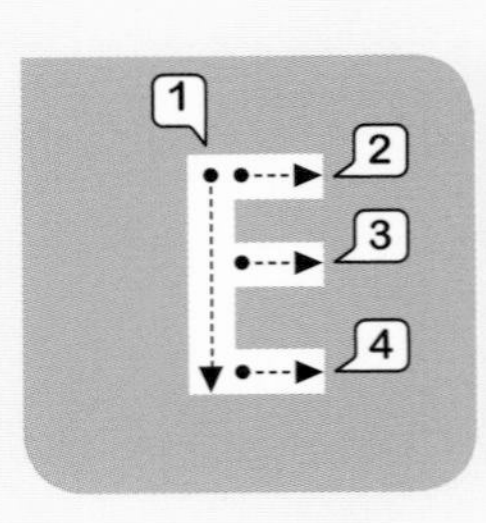

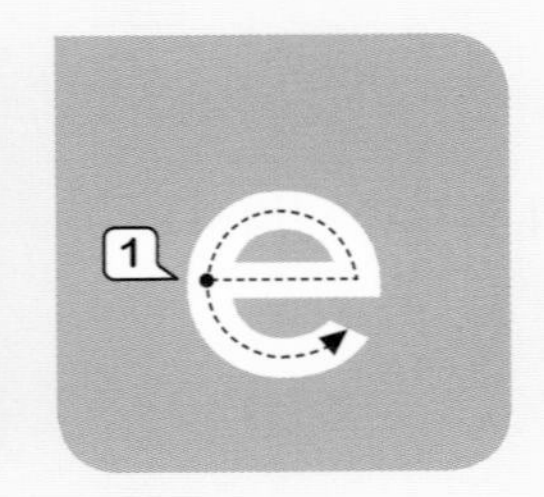

← E는 우리말로 이ー 라고 읽습니다. 소문자는 e입니다.

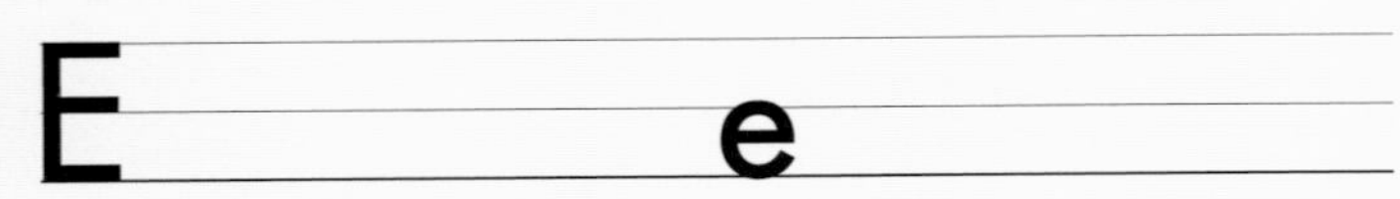

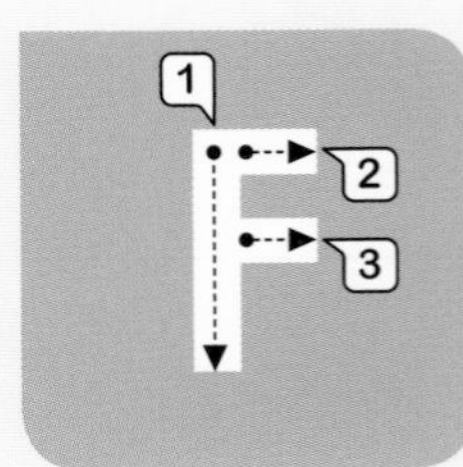

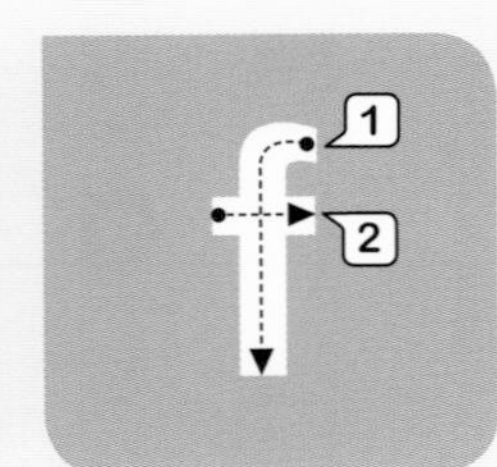

← F는 우리말로 에프 라고 읽습니다. 소문자는 f입니다.

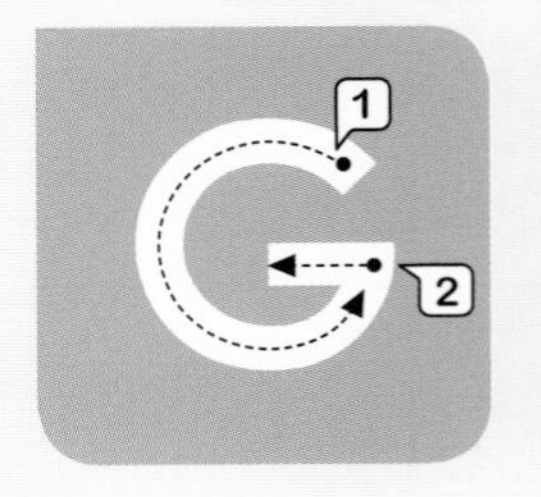

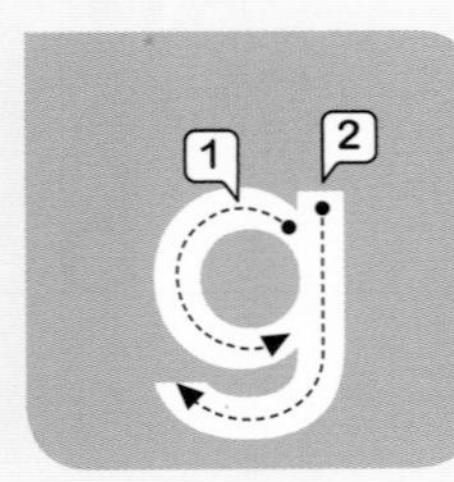

← G는 우리말로 쥐이 라고 읽습니다. 소문자는 g입니다.

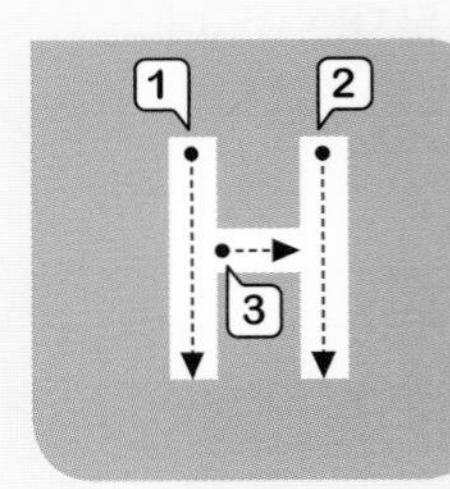

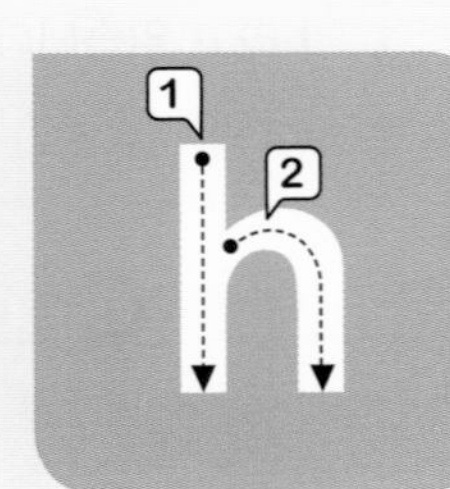

← H는 우리말로 에이취 라고 읽습니다. 소문자는 h입니다.

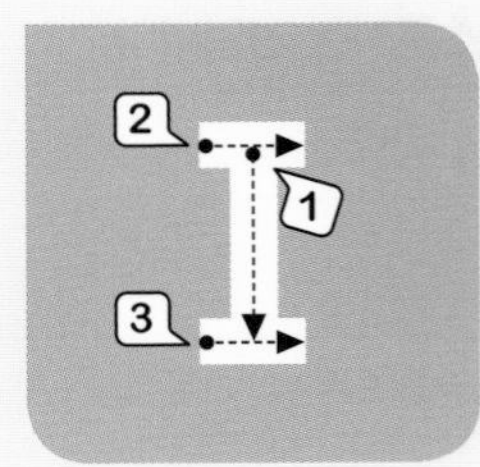

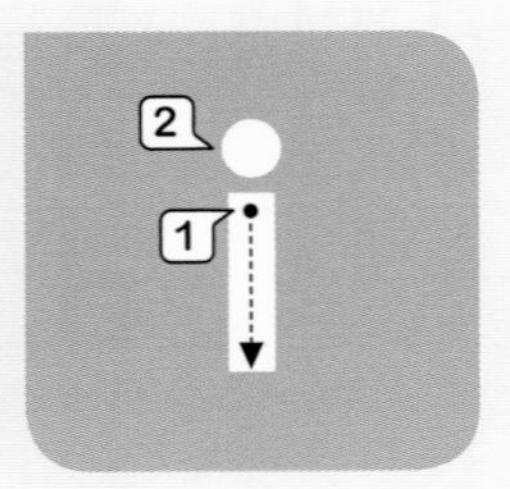

← I는 우리말로 아이 라고 읽습니다. 소문자는 i입니다.

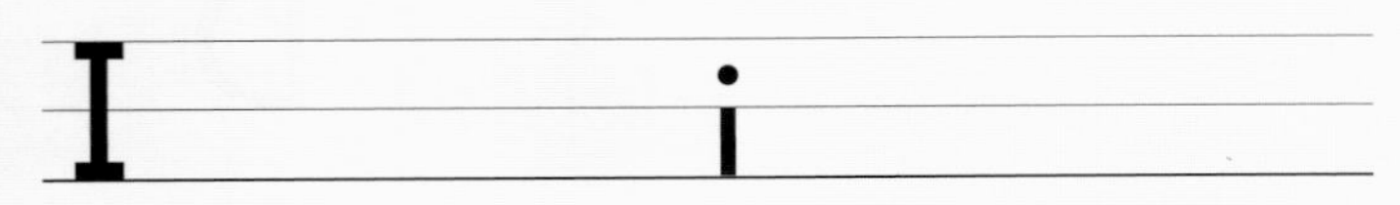

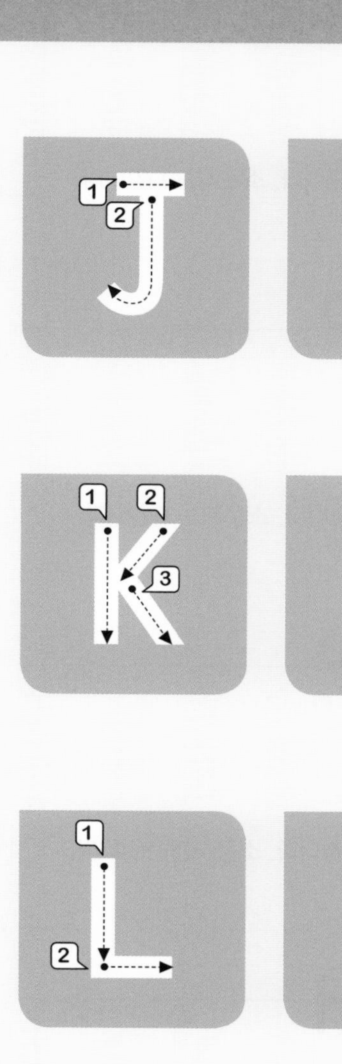

← J는 우리말로 줴이 라고 읽습니다. 소문자는 j입니다.

J j

← K는 우리말로 케이 라고 읽습니다. 소문자는 k입니다.

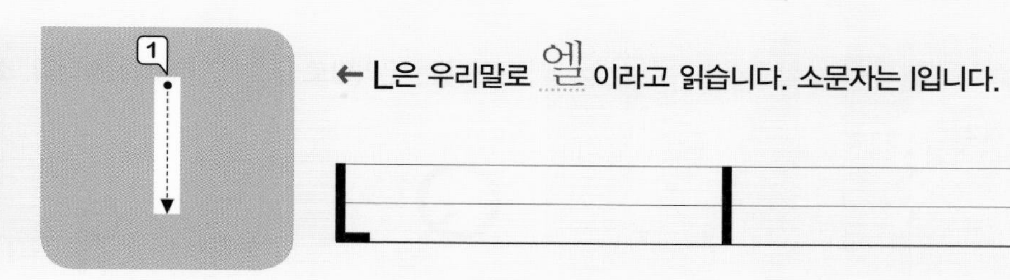

← L은 우리말로 엘 이라고 읽습니다. 소문자는 l입니다.

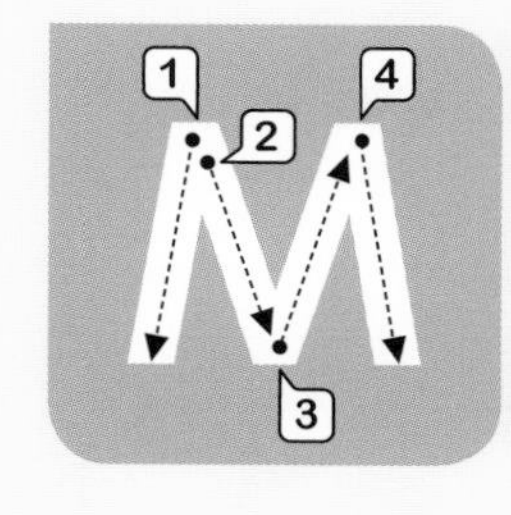

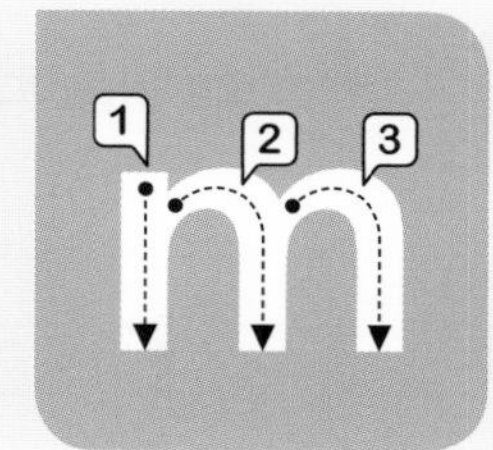

← M은 우리말로 엠 이라고 읽습니다. 소문자는 m입니다.

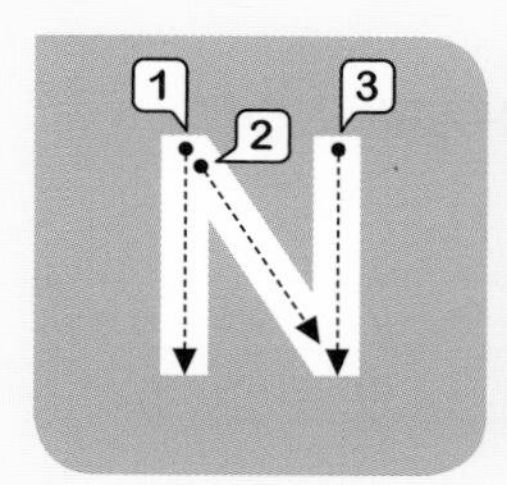

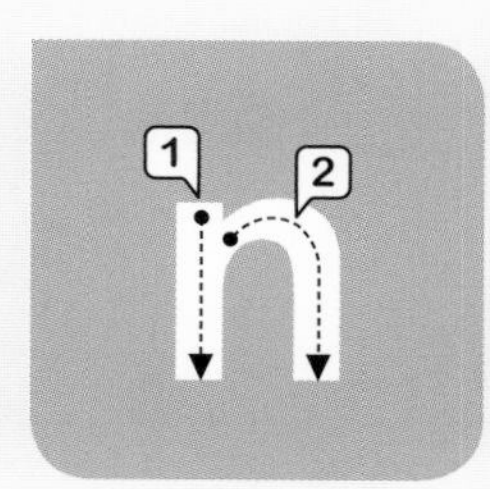

← N은 우리말로 엔 이라고 읽습니다. 소문자는 n입니다.

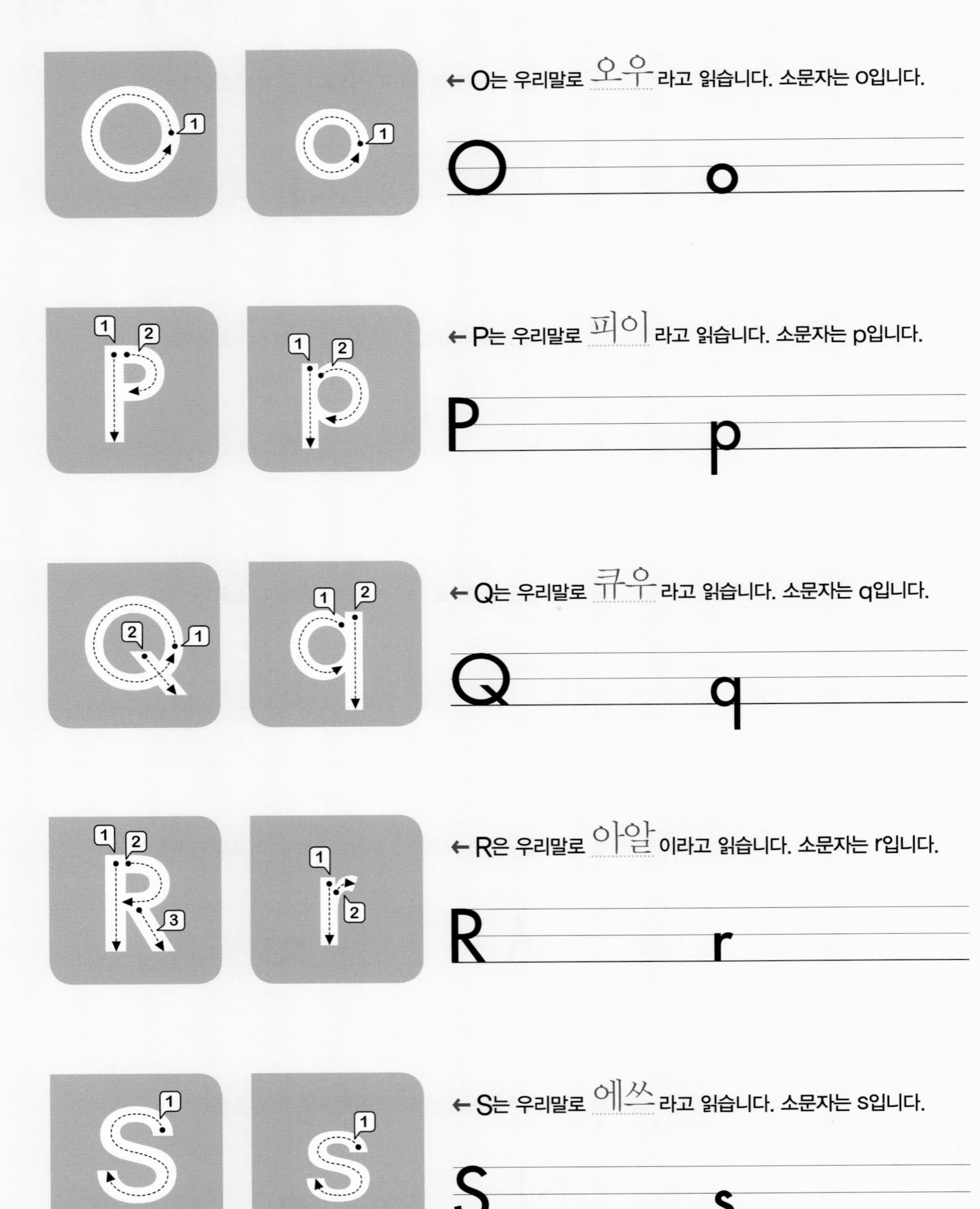

← O는 우리말로 오우 라고 읽습니다. 소문자는 o입니다.

O o

← P는 우리말로 피이 라고 읽습니다. 소문자는 p입니다.

P p

← Q는 우리말로 큐우 라고 읽습니다. 소문자는 q입니다.

Q q

← R은 우리말로 아알 이라고 읽습니다. 소문자는 r입니다.

R r

← S는 우리말로 에쓰 라고 읽습니다. 소문자는 s입니다.

S s

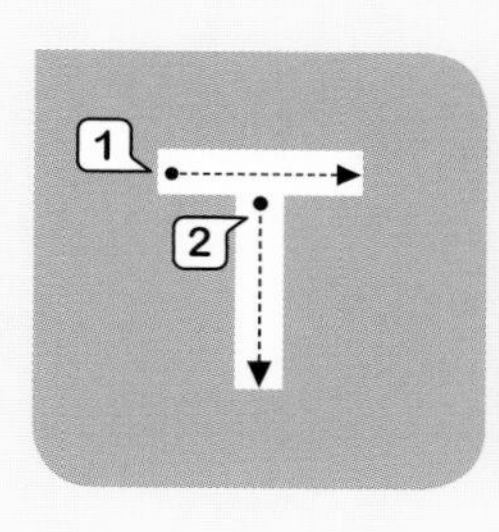

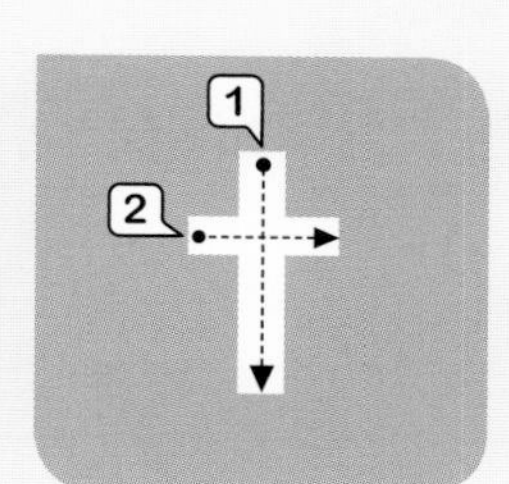

← T는 우리말로 티이 라고 읽습니다. 소문자는 t입니다.

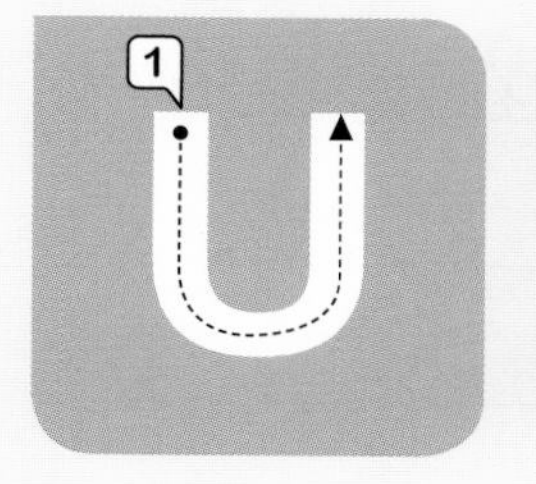

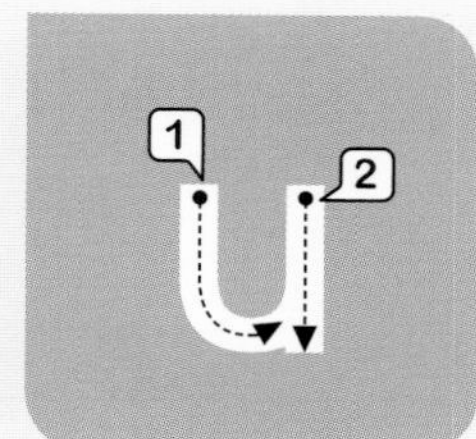

← U는 우리말로 유우 라고 읽습니다. 소문자는 u입니다.

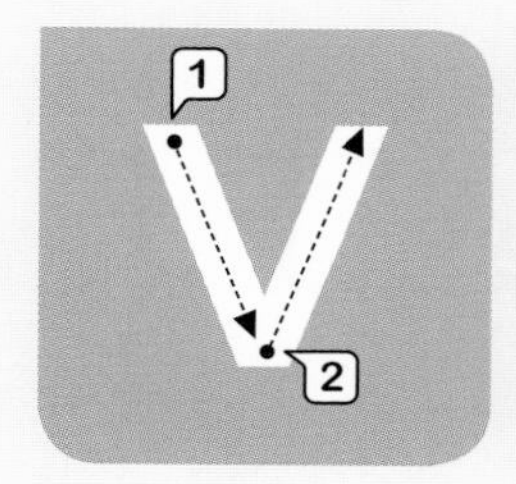

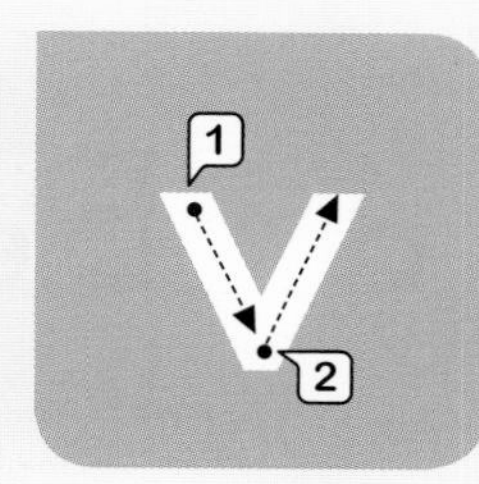

← V는 우리말로 브이 라고 읽습니다. 소문자는 v입니다.

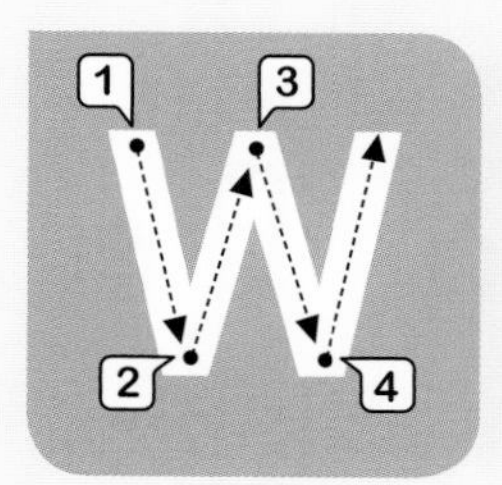

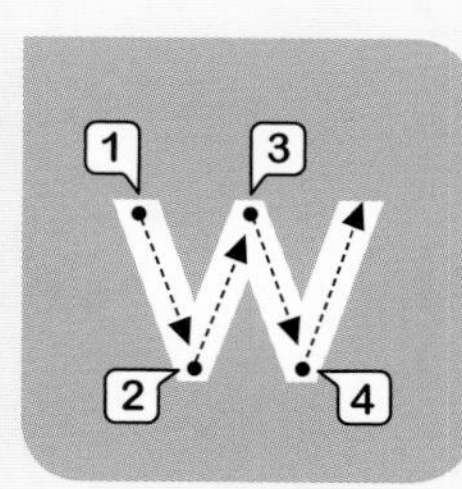

← W는 우리말로 더블유우 라고 읽습니다. 소문자는 w입니다.

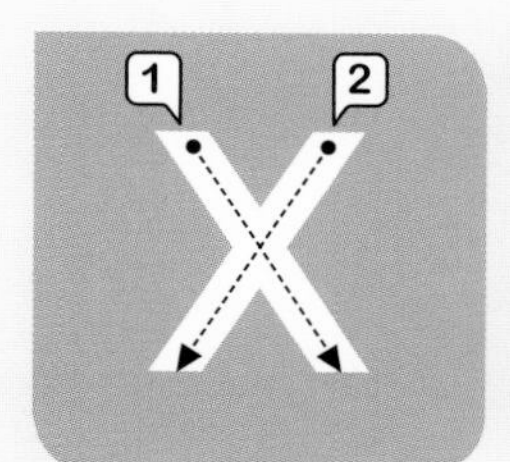

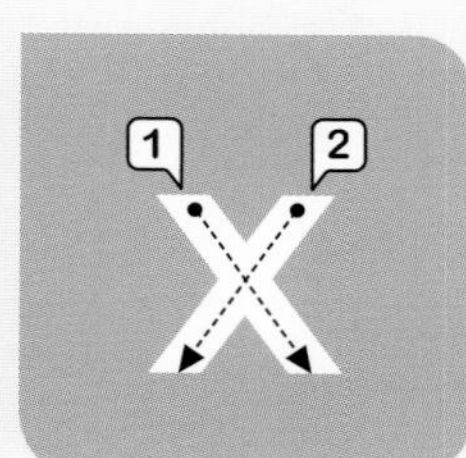

← X는 우리말로 엑쓰 라고 읽습니다. 소문자는 x입니다.

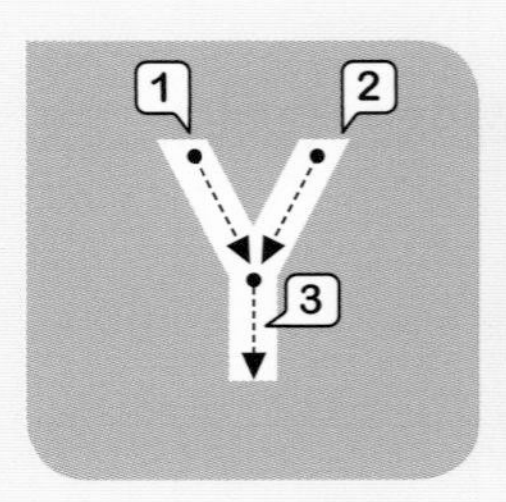

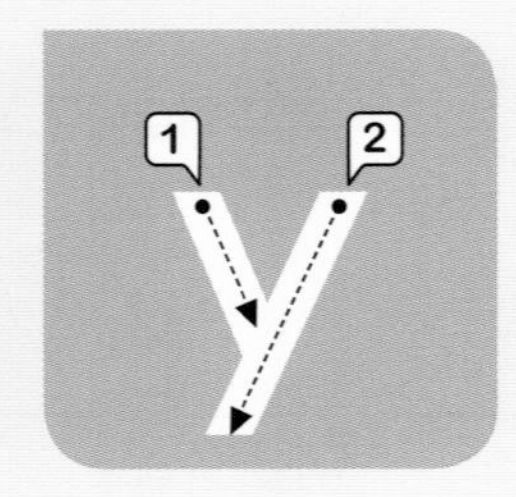

← Y는 우리말로 와이 라고 읽습니다. 소문자는 y입니다.

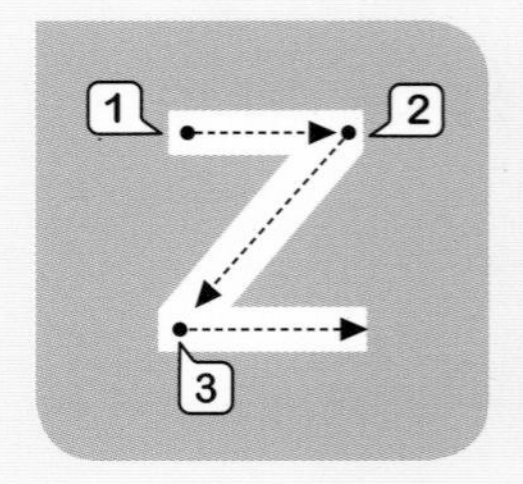

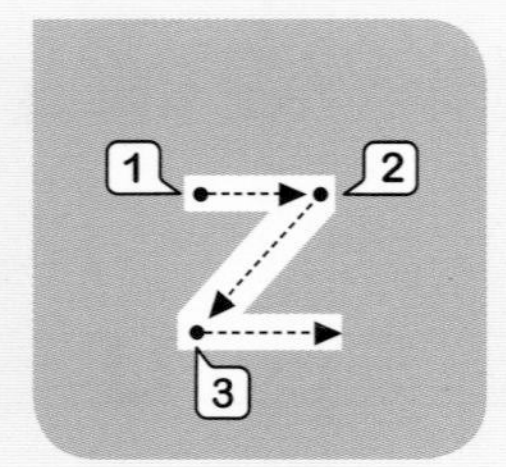

← Z는 우리말로 지이 라고 읽습니다. 소문자는 z입니다.

Z z

Aa Bb Cc Dd Ee Ff

Gg Hh Ii Jj Kk Ll

Mm Nn Oo Pp Qq Rr

Ss Tt Uu Vv Ww Xx

Yy Zz

Check Up

1 다음 빈칸에 알맞은 알파벳 대문자를 쓰세요.

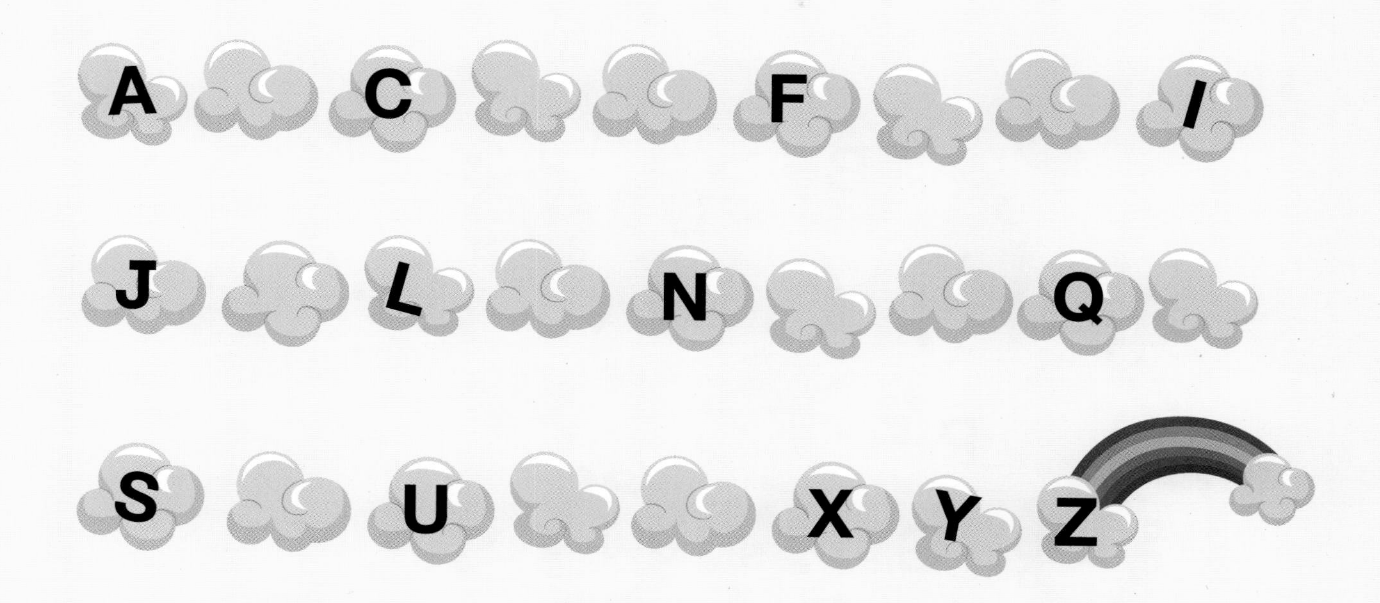

2 다음 빈칸에 알맞은 알파벳 소문자를 쓰세요.

3 다음 주어진 알파벳에서 대문자는 ○, 소문자는 □ 표시하고, 아래 써 보세요.

대문자

소문자

4 다음 단어를 소문자로 바꿔서 사선지에 써보세요.

01 ZOO 동물원

02 BOY 소년

03 TABLE 식탁

04 DOCTOR 의사

05 FLOWER 꽃

06 APPLE 사과

07 SINGER 가수

08 SCHOOL 학교

09 BOOK 책

10 COMPUTER 컴퓨터

5 다음 단어를 대문자로 바꿔서 사선지에 써보세요.

01 egg 달걀

02 box 상자

03 father 아버지

04 teacher 선생님

05 bird 새

06 orange 오렌지

07 onion 양파

08 house 집

09 desk 책상

10 phone 전화기

자음과 모음은 무엇인가요?

우리말 '컵'이라는 의미를 가진 소리는 어떻게 이루어져 있나요? 컵은 자음 'ㅋ'과 모음 'ㅓ', 그리고 자음 'ㅂ'이 결합하여 내는 소리입니다. 우리말이 자음(ㄱ, ㄴ, ㄷ …)과 모음(ㅏ, ㅓ, ㅗ …)이 결합하여 의미를 가진 소리를 만드는 것처럼 영어도 자음과 모음이 결합하여 의미를 가진 소리를 만듭니다.

한글 : 컵 = ㅋ + ㅓ + ㅂ
(ㅋ 자음, ㅓ 모음, ㅂ 자음)

영어 : cup = c + u + p
(c 자음, u 모음, p 자음)

영어는 자음 21개와 모음 5개가 있습니다.

★ 영어의 자음 : b, c, d, f, g, h, j, k, l, m, n, p, q, r, s, t, v, w, x, y, z (모음을 뺀 나머지)

★ 영어의 모음 : a, e, i, o, u

영어에서 cup이라는 단어는 알파벳 자음 'c', 모음 'u', 자음 'p'가 결합하여 만들어집니다. 이처럼 자음과 모음의 조합으로 수많은 단어들이 만들어지고, 이 단어들이 모여 언어를 구성합니다. 따라서, 문장을 구성하는 규칙인 '문법'을 공부하기 전에 자음과 모음을 정확히 익히는 것이 중요합니다.

Check Up

1 다음 알파벳에서 모음을 찾아 동그라미 하세요.

x k s p j v
r a t d g b o t
f u n q z m
w c y l i s h e

2 다음 <보기>와 같이 단어를 분리하고, 자음인지 모음인지 구별하여 쓰세요.

orange 오렌지 =	o	+	r	+	a	+	n	+	g	+	e
	모음		자음		모음		자음		자음		모음

01 **dad** 아빠 = d + a + d

02 **bed** 침대 = b + e + d

03 **rose** 장미 = r + o + s + e

04 **actor** 배우 = a + c + t + o + r

05 **tiger** 호랑이 = t + i + g + e + r

Answers

Alphabet

Check Up p.17

1 B D E G H K M O P R T V W

2 a d f g i k n p s u x z

3

대문자: B D E G H K L M O P R T V W
소문자: a c f i j n q s u x y z

4

01 zoo	02 boy	03 table
04 doctor	05 flower	06 apple
07 singer	08 school	09 book
10 computer		

5

01 EGG	02 BOX	03 FATHER
04 TEACHER	05 BIRD	06 ORANGE
07 ONION	08 HOUSE	09 DESK
10 PHONE		

Consonants and Vowels

Check Up p.21

1

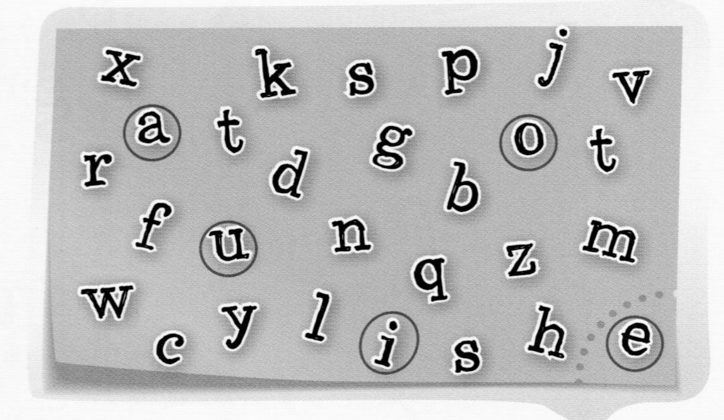

2

01 dad 아빠 = d + a + d
자음 모음 자음

02 bed 침대 = b + e + d
자음 모음 자음

03 rose 장미 = r + o + s + e
자음 모음 자음 모음

04 actor 배우 = a + c + t + o + r
모음 자음 자음 모음 자음

05 tiger 호랑이 = t + i + g + e + r
자음 모음 자음 모음 자음

CHAPTER 1
명사

명사

1 명사는 우리 주위에 있는 사람, 사물, 동물, 식물, 장소 등의 이름을 나타내는 말입니다.

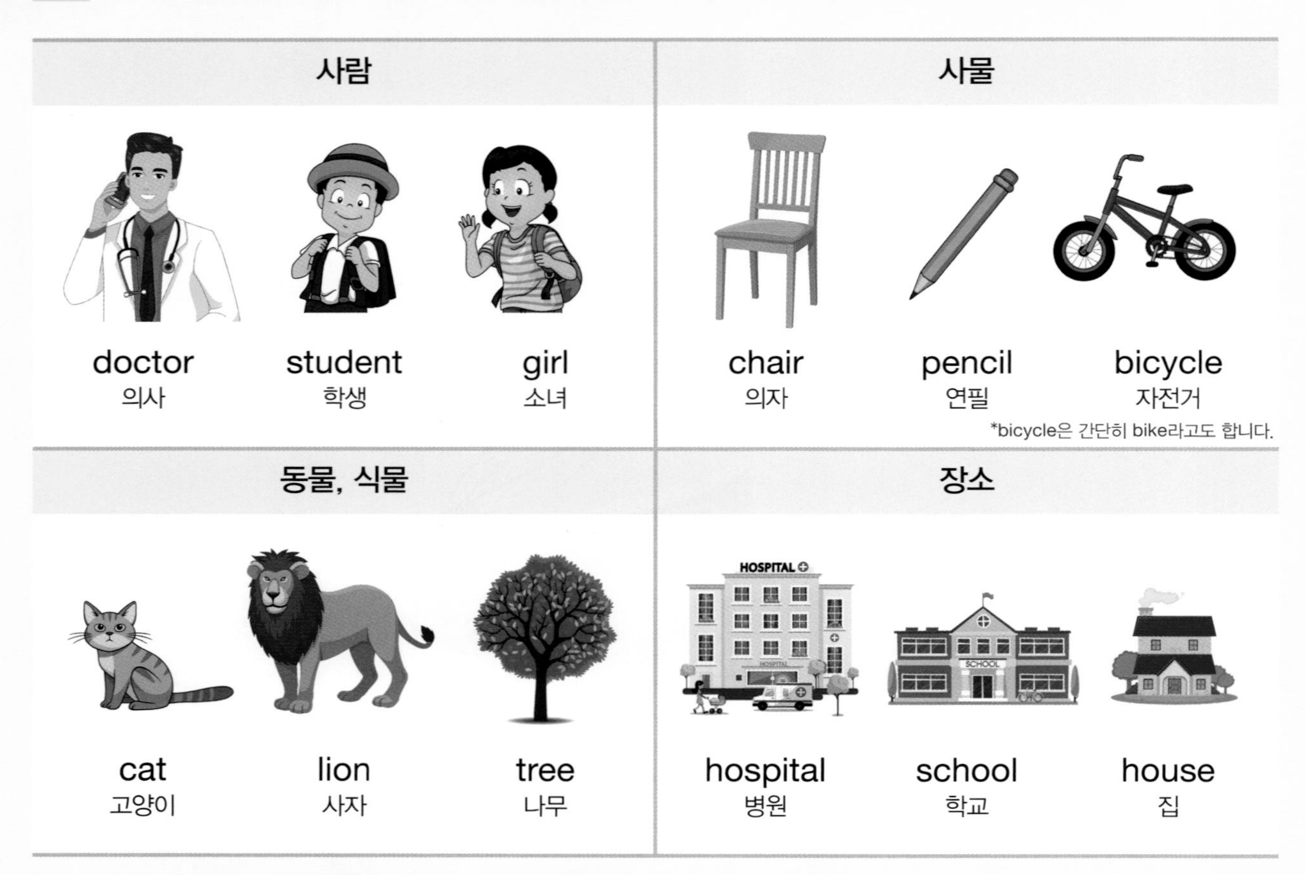

사람			사물		
doctor 의사	student 학생	girl 소녀	chair 의자	pencil 연필	bicycle 자전거

*bicycle은 간단히 bike라고도 합니다.

동물, 식물			장소		
cat 고양이	lion 사자	tree 나무	hospital 병원	school 학교	house 집

2 사람 이름, 나라 이름, 도시 이름은 첫 글자를 대문자로 씁니다.

사람 이름		나라 이름		도시 이름	
Alice	Kevin	France 프랑스	China 중국	Seoul 서울	London 런던

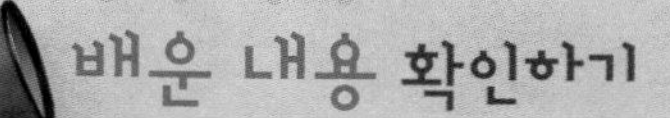

1 다음 그림을 보고 연결하세요.

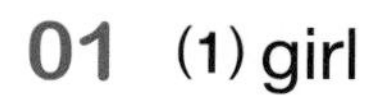

01 (1) girl • • Ⓐ
(2) pencil • • Ⓑ

02 (1) tree • • Ⓐ 
(2) chair • • Ⓑ 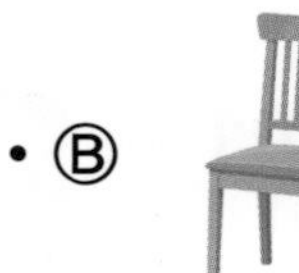

03 (1) bike • • Ⓐ 
(2) car • • Ⓑ 

04 (1) school • • Ⓐ 
(2) doctor • • Ⓑ 

05 (1) cup • • Ⓐ 
(2) rabbit • • Ⓑ 

06 (1) book • • Ⓐ 
(2) house • • Ⓑ 

07 (1) China • • Ⓐ 
(2) France • • Ⓑ 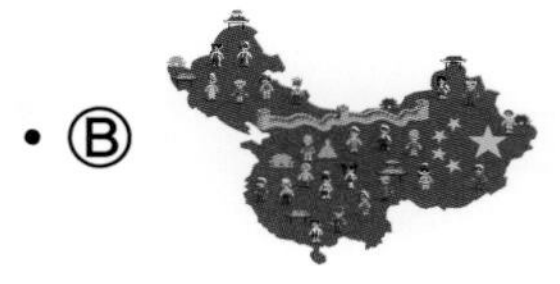

08 (1) lion • • Ⓐ 
(2) cat • • Ⓑ  

Words

· **girl** 소녀 · **pencil** 연필 · **chair** 의자 · **bike** 자전거 · **school** 학교 · **rabbit** 토끼
· **book** 책 · **house** 집 · **lion** 사자 · **cat** 고양이

Check Up 배운 내용 응용하기

1 다음 보기에서 알맞은 단어를 골라 해당되는 그림에 쓰세요.

girl　car　tree　lion　watch　chair　doctor　bird

01 girl

02

03

04

05

06

07

08

Words

· **girl** 소녀　· **car** 자동차　· **lion** 사자　· **watch** (손목)시계　· **chair** 의자　· **doctor** 의사

2 다음 그림을 보고 영어의 뜻을 쓰세요.

01 chair  의자

02 book  ______

03 bike  ______

04 girl  ______

05 egg  ______

06 train  ______

07 cup  ______

08 apple  ______

09 China 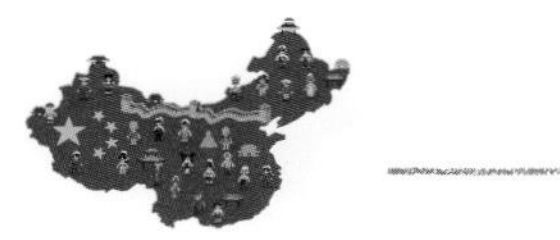 ______

10 box  ______

Words

· chair 의자 · book 책 · bike 자전거 · apple 사과 · China 중국

UNIT 02 명사의 복수형

Chapter 1

1 사람, 사물, 동물이 하나일 때에는 명사 앞에 a(an)를 씁니다.

 **a** girl 소녀 한 명	 **a** lion 사자 한 마리	 **a** chair 의자 한 개
 **a** pencil 연필 한 자루	 **a** cat 고양이 한 마리	 **a** bicycle 자전거 한 대

*bicycle은 간단히 bike라고도 합니다.

TIPS 발음이 모음(a, e, i, o, u)으로 시작하는 단어 앞에는 a 대신 an을 써야 합니다.
㉮ **an** apple 사과 한 개　　**an** ant 개미 한 마리

2 사람, 사물, 동물이 둘 이상일 때에는 단어 끝에 -s를 붙여야 합니다.

 girl**s** 소녀들	 lion**s** 사자들	 cap**s** 모자들
 pencil**s** 연필들	 cat**s** 고양이들	 tree**s** 나무들

-o, -s, -x, -sh, -ch로 끝나는 단어에는 -es를 붙입니다.

 bus**es** 버스들	 watch**es** (손목)시계들	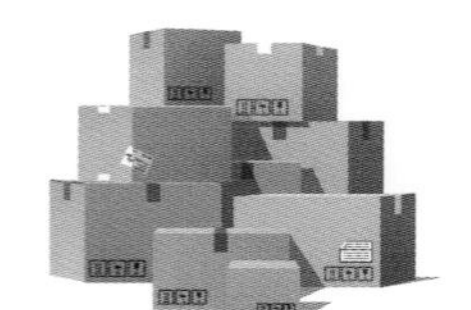 box**es** 상자들	 tomato**es** 토마토들

TIPS 둘 이상을 나타내는 명사를 **복수형 명사**라고 합니다.

1 다음 그림을 보고 알맞은 단어를 고르세요.

01
- a chair ☑
- chairs ☐

02
- a bike ☐
- bikes ☐

03
- an apple ☐
- apples ☐

04
- a cap ☐
- caps ☐

05
- a tiger ☐
- tigers ☐

06
- a pencil ☐
- pencils ☐

07
- a watch ☐
- watches ☐

08
- a tomato ☐
- tomatoes ☐

09
- a flower ☐
- flowers ☐

10
- a box ☐
- boxes ☐

Words

· **chair** 의자 · **bike** 자전거 · **apple** 사과 · **cap** (야구)모자 · **tiger** 호랑이 · **pencil** 연필
· **watch** (손목)시계 · **flower** 꽃 · **box** 상자

Check Up 배운 내용 응용하기

1 다음 그림을 보고 a(n)를 붙이거나 복수형으로 쓰세요.

01 의자(chair) a chair

02 자전거들(bike)

03 의사들(doctor)

04 개미(ant)

05 사자들(lion)

06 소녀들(girl)

07 (손목)시계(watch)

08 버스들(bus)

09 당근(carrot)

10 여우들(fox)

Words
· **bike** 자전거 · **ant** 개미 · **lion** 사자 · **watch** (손목)시계 · **bus** 버스 · **carrot** 당근

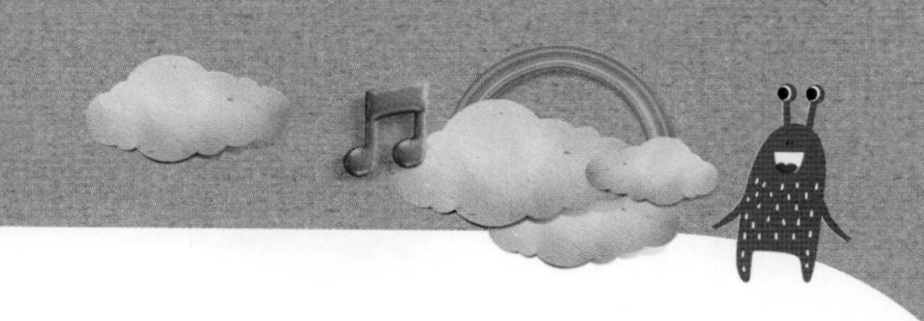

2 다음 보기의 단어를 이용하여 알맞은 복수형을 쓰세요.

star	chair	box	bus	umbrella
bird	egg	dog	potato	bee

01 two chairs

02 two ______

03 three ______

04 three ______

05 ten ______

06 four ______

07 five ______

08 three ______

09 six ______

10 four ______

Words
· star 별 · box 상자 · umbrella 우산 · bird 새 · egg 달걀 · potato 감자 · bee 벌

배운 내용 점검하기

1 다음 단어의 뜻을 쓰세요.

01 apple 사과
02 student ____
03 potato ____
04 box ____
05 watch ____
06 fox ____
07 star ____
08 umbrella ____
09 house ____
10 rabbit ____
11 tree ____
12 school ____
13 lion ____
14 bicycle ____
15 flower ____
16 cap ____
17 ant ____
18 egg ____
19 carrot ____
20 train ____

Words
- **house** 집
- **umbrella** 우산
- **bicycle** 자전거
- **flower** 꽃
- **carrot** 당근

2 다음 명사의 복수형을 쓰세요.

01  a boy   boys

02  an apple  

03  a watch  

04  a box  

05  a doctor  

06  a bus  

07  a basket  

08  a tomato  

Words
· **box** 상자 · **doctor** 의사 · **basket** 바구니 · **tomato** 토마토

Actual Test

1 다음 중 장소와 관련된 명사가 **아닌** 것을 고르세요.

① school ② hospital ③ park
④ doctor ⑤ restaurant

2 다음 중 사물과 관련된 명사가 **아닌** 것을 고르세요.

① chair ② book ③ lion
④ cup ⑤ table

3 다음 그림을 보고 보기에서 알맞을 것을 골라 복수형을 쓰세요.

fox cap potato

(1)  two ________________

(2)  four ________________

(3)  three ________________

1
- **hospital** 병원
- **park** 공원
- **doctor** 의사
- **restaurant** 식당

2
- **lion** 사자
- **table** 식탁

3
-o, -s, -x, -sh, -ch로 끝나는 단어의 복수형에는 -es를 붙입니다.

4 다음 중 복수형으로 알맞지 **않은** 것을 고르세요.

① girl - girls
② bus - buses
③ tomato - tomatos
④ dish - dishes
⑤ apple - apples

4
-o, -s, -x, -sh, -ch로 끝나는 단어의 복수형에는 -es를 붙입니다.
• **dish** 접시

5 다음 밑줄 친 부분을 바르게 고치세요.

I live in korea. 나는 한국에 산다.

→ I live in ____________ .

5
사람 이름, 나라 이름의 첫 알파벳은 대문자로 씁니다.

6 다음 단어의 뜻을 쓰세요.

(1) a bike ____________

(2) tomatoes ____________

(3) eggs ____________

7 다음 우리말을 영어로 쓰세요.

(1) 사자 한 마리 ____________

(2) 연필들 ____________

(3) 버스들 ____________

7
복수형은 -s나 -es를 단어 끝에 붙입니다.
• **pencil** 연필
• **bus** 버스

Words Check

다음 단어의 뜻을 쓰고, 단어를 한 번 더 써보세요.

No.	Word	Meaning	Write
01	ant	개미	ant
02	apple		
03	basket		
04	bicycle		
05	bird		
06	carrot		
07	chair		
08	doctor		
09	flower		
10	fox		
11	house		
12	lion		
13	pencil		
14	potato		
15	rabbit		
16	star		
17	tiger		
18	tomato		
19	umbrella		
20	watch		

CHAPTER 2
형용사

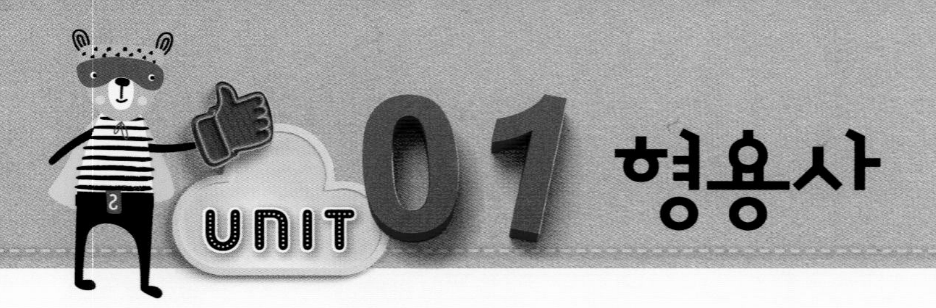

UNIT 01 형용사

형용사란 명사의 모양이나 성질, 색깔, 크기 등을 구체적으로 설명해 주는 말입니다.
예를 들어, 코끼리는 몸이 크고 쥐는 몸이 작습니다. 이때 '크다', '작다'라는 표현을 형용사로 나타낼 수 있습니다.

1 모양, 크기, 상태를 나타내는 형용사

big 큰	small 작은	tall 키가 큰	short 키가 작은
clean 깨끗한	dirty 더러운	long 긴	short 짧은
slow 느린	fast 빠른	happy 행복한	sad 슬픈

2 색깔을 나타내는 형용사

black 검은	yellow 노란	green 초록(색)의	pink 분홍(색)의	red 빨간

배운 내용 확인하기

1 다음 그림을 보고 알맞은 단어에 동그라미 하세요.

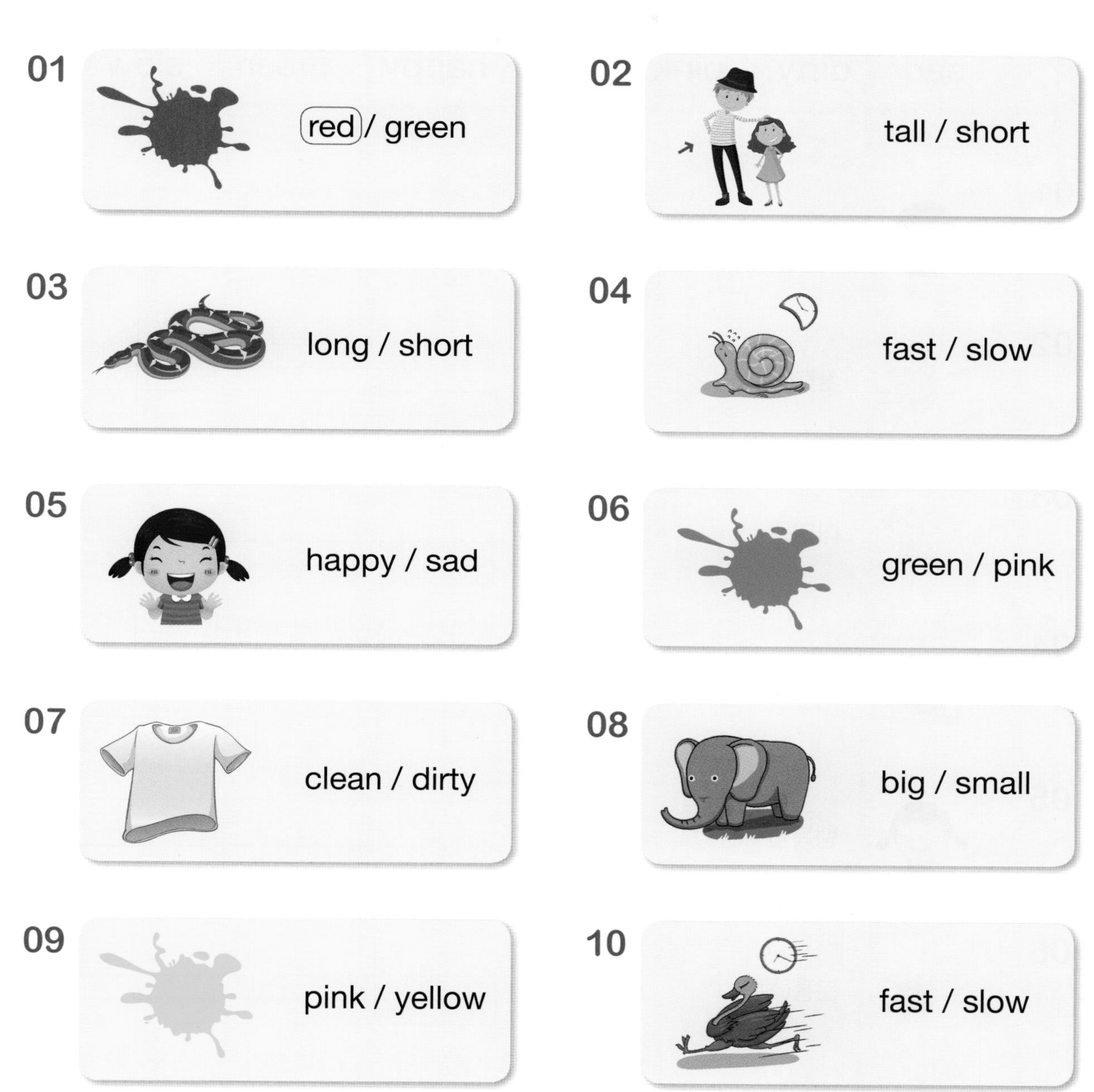

Words

- **red** 빨간 · **fast** 빠른 · **slow** 느린 · **happy** 행복한 · **sad** 슬픈 · **clean** 깨끗한
- **dirty** 더러운 · **pink** 분홍(색)의 · **yellow** 노란

1 다음 그림과 일치하도록 보기에서 단어를 골라 쓰세요.

sad dirty pink fast happy green slow

01 슬픈 → sad

02 초록(색)의 →

03 더러운 →

04 빠른 →

05 행복한 →

06 분홍(색)의 →

07 느린 →

Words
- dirty 더러운
- happy 행복한
- green 초록(색)의
- slow 느린

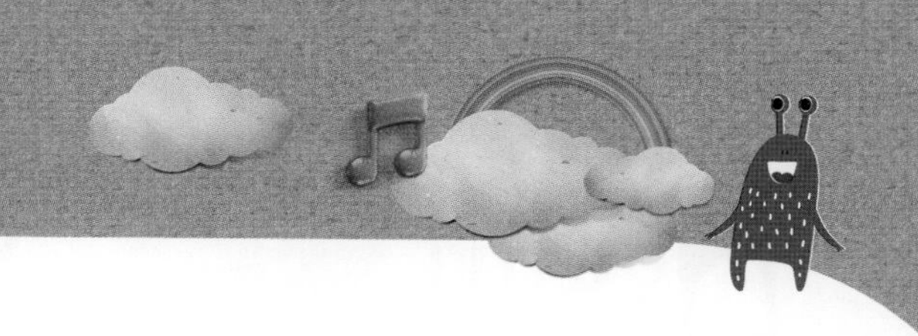

2 다음 그림과 일치하도록 주어진 단어를 쓰세요.

01 tall / short

tall

short

02 clean / dirty

03 fast / slow

04 green / red

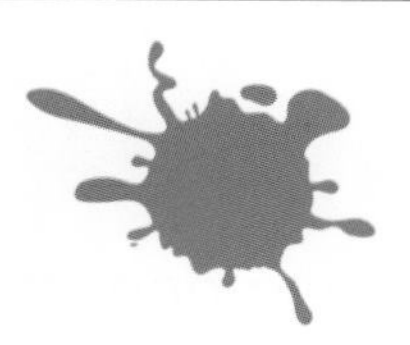

05 happy / sad

Words
· clean 깨끗한 · dirty 더러운 · slow 느린 · happy 행복한 · sad 슬픈

UNIT 02 형용사와 명사

1 형용사는 명사 앞에 와서 명사를 꾸며줄 수 있습니다.

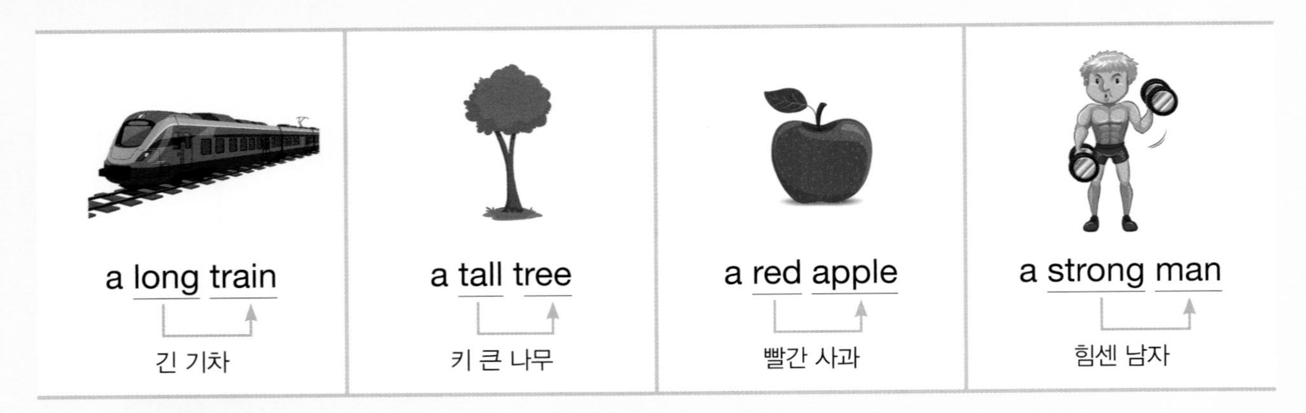

TIPS 형용사 다음에 사람, 사물, 동물 등이 하나일 때에는 형용사 앞에 a(an)가 옵니다.

2 형용사 다음에 복수명사(2개 이상)가 올 수 있습니다.

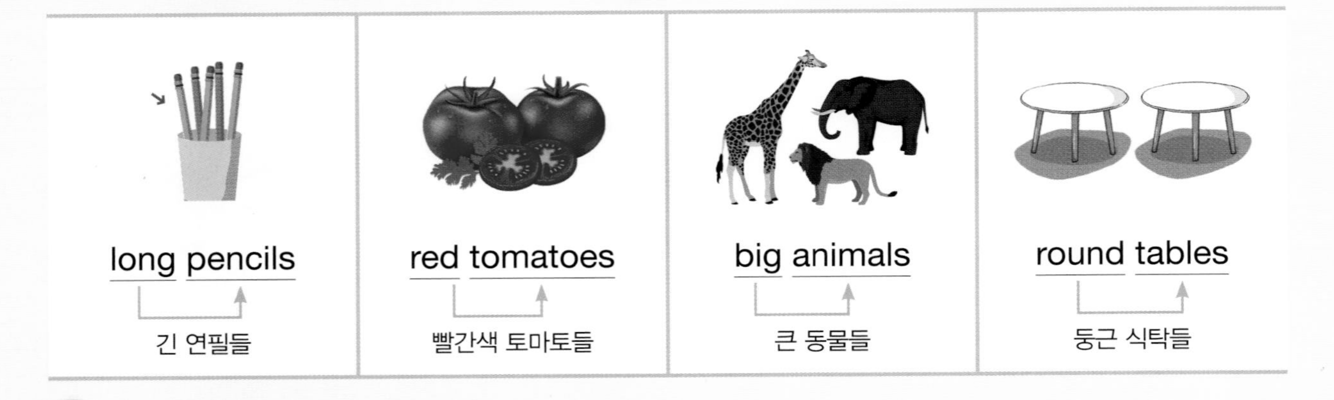

TIPS 형용사 다음에 복수명사가 오면 형용사 앞에 a(an)를 쓰지 않습니다.
예) a round tables (X)

Warm Up 배운 내용 확인하기

1 다음 그림을 보고 알맞은 단어에 동그라미 하세요.

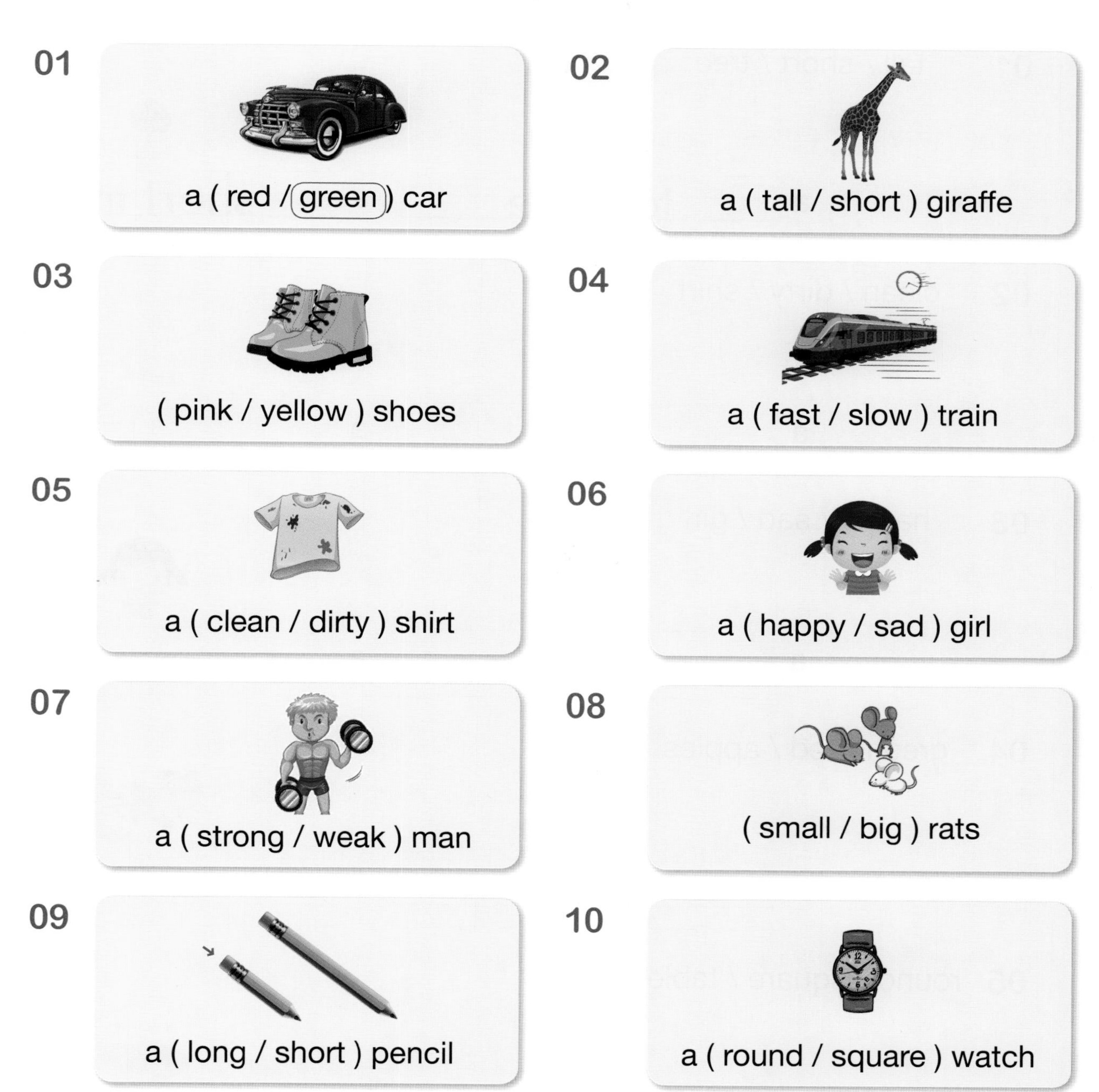

01 a (red / green) car

02 a (tall / short) giraffe

03 (pink / yellow) shoes

04 a (fast / slow) train

05 a (clean / dirty) shirt

06 a (happy / sad) girl

07 a (strong / weak) man

08 (small / big) rats

09 a (long / short) pencil

10 a (round / square) watch

Words

· **giraffe** 기린 · **shoe** 신발 · **shirt** 셔츠 · **happy** 행복한 · **strong** 강한 · **weak** 약한
· **man** 남자 · **rat** 쥐 · **pencil** 연필 · **round** 둥근 · **square** 정사각형의

Check Up 배운 내용 응용하기

1 다음 그림과 일치하도록 주어진 단어를 쓰세요.

01 tall / short / tree

a tall tree　　a short tree

02 clean / dirty / shirt

a ________　　a ________

03 happy / sad / girl

a ________　　a ________

04 green / red / apples

________　　________

05 round / square / table

a ________　　a ________

Words

· **shirt** 셔츠 · **sad** 슬픈 · **round** 둥근 · **square** 정사각형의 · **table** 식탁

2 다음 우리말을 영어로 쓰세요.

01 행복한 소녀(girl) a happy girl

02 노란색 버스들(buses)

03 더러운 신발들(shoes)

04 분홍색 드레스(dress) a

05 큰 집(house) a

06 키가 작은 소녀(girl) a

07 긴 다리(bridge) a

08 작은 고양이들(cats)

· girl 소녀 · yellow 노란 · dirty 더러운 · shoe 신발 · house 집 · bridge 다리

Level Up 배운 내용 점검하기

1 다음 그림과 일치하도록 보기에서 단어를 골라 쓰세요.

small　big　round　yellow　black　clean

01 a big house

02 a ________ cat

03 ________ crayons

04 ________ watches

05 a ________ shirt

06 a ________ teddy bear

Words
· small 작은　· black 검은　· house 집　· crayon 크레용　· watch (손목)시계　· shirt 셔츠

2 다음 영어를 우리말로 쓰세요

01  red roses  → 빨간 장미들 ______

02  a long train → ______

03  dirty shoes → ______

04  a tall boy → ______

05  yellow lemons → ______

06  a big animal → ______

07  a sad girl → ______

08  a small house → ______

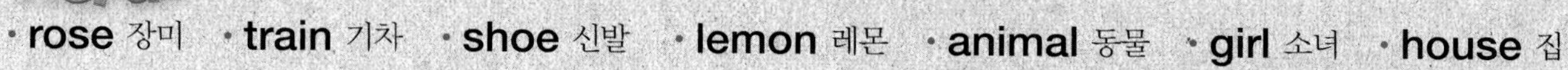

Actual Test

1 다음 중 형용사가 **아닌** 것을 고르세요.

① yellow ② sad ③ book

④ big ⑤ tall

2 다음 중 반대말과 짝지어지지 **않은** 것을 고르세요.

① clean - dirty ② long - short

③ strong - weak ④ happy - sad

⑤ yellow - black

3 다음 그림을 보고 보기에서 알맞은 것을 골라 쓰세요.

green tall long

(1)  ____________ apples

(2)  ____________ bridges

(3)  ____________ trees

1
- **sad** 슬픈
- **book** 책
- **tall** 키가 큰

3
- **green** 초록(색)의

4 다음 중 우리말과 같도록 빈칸에 들어갈 알맞은 말을 고르세요.

I have ________________.
나는 파란 코트가 있다.

① a green coat
② green coats
③ blue shirts
④ blue coat
⑤ a blue coat

4
[a+형용사+단수명사]나 [형용사+복수명사] 형태로 와야 합니다.
- **blue** 파란

5 다음 영어를 우리말로 쓰세요.

(1) a yellow bike ________________

(2) red tomatoes ________________

(3) blue pants ________________

(4) clean shoes ________________

5
- **bike** 자전거
- **pants** 바지

'바지'라는 의미의 pants는 항상 복수형으로 씁니다.

6 다음 빈칸에 우리말을 영어로 쓰세요.

(1) 작은 새 한 마리 ________________

(2) 긴 연필들 ________________

(3) 노란 버스 한 대 ________________

6
복수형은 -s나 -es를 단어 끝에 붙입니다.
- **bird** 새
- **pencil** 연필
- **bus** 버스

Words Check

다음 단어의 뜻을 쓰고, 단어를 한 번 더 써보세요.

01	animal 동물	animal	11	pants	
02	black		12	round	
03	blue		13	sad	
04	bridge		14	short	
05	clean		15	slow	
06	dirty		16	small	
07	fast		17	square	
08	green		18	strong	
09	happy		19	weak	
10	lemon		20	yellow	

CHAPTER 3 대명사

UNIT 01 I, We, You

1 I, We, You는 이름을 대신해서 쓰는 말입니다. 이렇게 사람이나 사물의 이름을 대신해서 쓰는 말을 대명사라고 합니다.

TIPS You는 '너/당신' 또는 '너희들/당신들(2명 이상)'이라는 의미를 가지고 있습니다.

2 I, We, You는 주어 역할을 하며 이들 다음에는 am, are가 옵니다.

I	am	**tall.** 나는 키가 크다.
We	are	**doctors.** 우리는 의사들이다.
You	are	**a student.** 너는 학생이다.
You	are	**students.** 너희들은 학생들이다.

TIPS
1. am, are는 '~이다', '~하다'라는 의미를 가지고 있으며, am/is/are를 be동사라고 합니다.
2. 주어는 문장 맨 앞에서 주인 역할을 합니다. 쉽게 말해서 '누가?'에 해당하는 말입니다.
   I am a student. (I = 주어) 나는 학생이다.

배운 내용 확인하기

1 다음 그림에 알맞은 단어를 고르세요.

01

(You / I / We)

02

(You / I / We)

03

(You / I / We)

04

(You / I / We)

2 다음 그림을 보고 알맞은 대명사를 고르세요.

01 Jimin + I → (You / I / We)

02 Prince + I → (You / I / We)

03 Jimin + Mike → (You / I / We)

Words

- **I** 나 - **you** 너, 너희들 - **we** 우리

Check Up 배운 내용 응용하기

1 다음 우리말과 같도록 괄호 안에서 알맞은 말을 고르세요.

01 I (am / are) a teacher. 나는 선생님이다.

02 You (am / are) a cook. 너는 요리사다.

03 (We / You / I) are friends. 우리는 친구들이다.

04 (We / You / I) am a student. 나는 학생이다.

05 We (am / are) happy. 우리는 행복하다.

06 I (am / are) sad. 나는 슬프다.

07 (I / You / We) are doctors. 너희들은 의사들이다.

08 (I / You / We) are a singer. 당신은 가수다.

Words

- **teacher** 선생님
- **cook** 요리사
- **friend** 친구
- **student** 학생
- **happy** 행복한
- **sad** 슬픈
- **doctor** 의사
- **singer** 가수

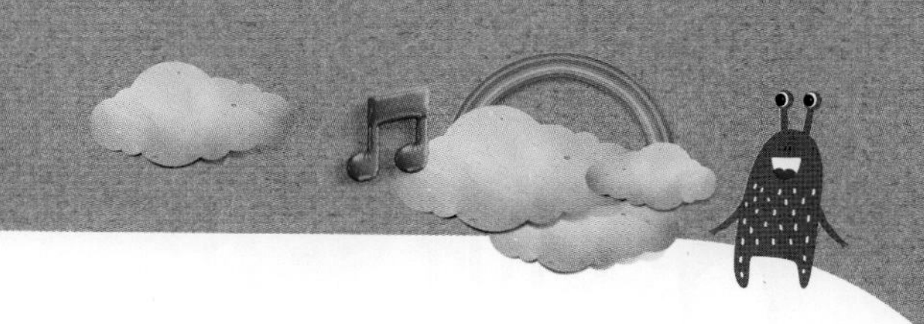

2 다음 우리말과 같도록 알맞은 말을 쓰세요.

01 우리는 친구들이다. → We are friends.

02 당신은 간호사다. → You ________ a nurse.

03 나는 요리사다. → ________ am a cook.

04 너희들은 야구선수들이다. → You ________ baseball players.

05 우리는 경찰관들이다. → We ________ police officers.

06 나는 의사다. → I ________ a doctor.

07 당신은 예쁘다. → ________ are pretty.

08 우리는 배가 고프다. → ________ are hungry.

Words

· **friend** 친구 · **nurse** 간호사 · **baseball player** 야구선수 · **police officer** 경찰관
· **pretty** 예쁜 · **hungry** 배고픈

UNIT 02 He, She, They, It

1 He, She, They, It은 이름을 대신해서 쓰는 말입니다. 이렇게 사람이나 사물의 이름을 대신해서 쓰는 말을 대명사라고 합니다.

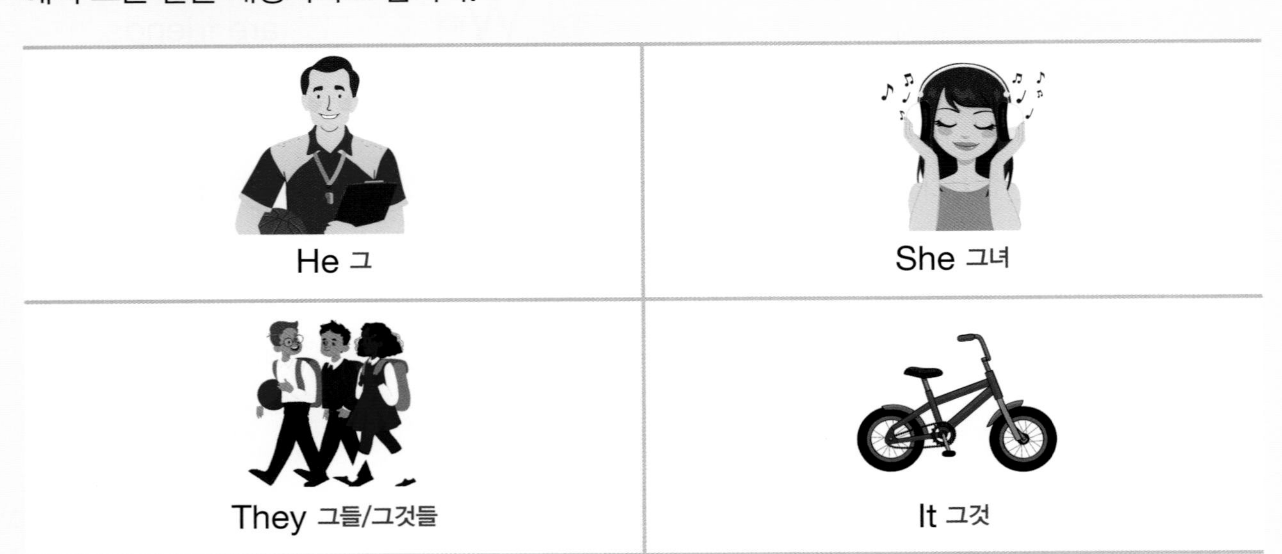

TIPS They는 '그들/그것들'이라는 의미를 가지고 있으며, 사람, 사물, 동물 이름을 대신해 사용할 수 있습니다.
It은 사물, 동물을 대신해서 사용합니다.

2 He, She, They, It은 주어 역할을 하며 이들 다음에는 is, are가 옵니다.

He	is	**tall.** 그는 키가 크다.
She	is	**a doctor.** 그녀는 의사다.
They	are	**students.** 그들은 학생들이다.
It	is	**a cat.** 그것은 고양이다.

TIPS I(나는)는 1인칭, You(너, 너희들)는 2인칭, 나머지(He / She / They / It) 사람, 사물, 동물은 3인칭이라고 합니다.

	단수(한 명, 한 개)	복수(둘 이상)
1인칭	I	We
2인칭	You	You
3인칭	He / She / It	They

1 다음 그림과 일치하도록 알맞은 단어를 고르세요.

01 (He / She / They)

02
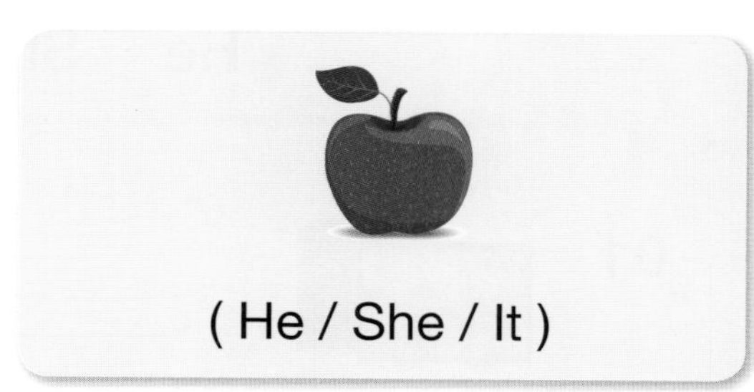
(He / She / It)

03 (He / She / They)

04

(He / She / They)

05 (He / She / They)

06
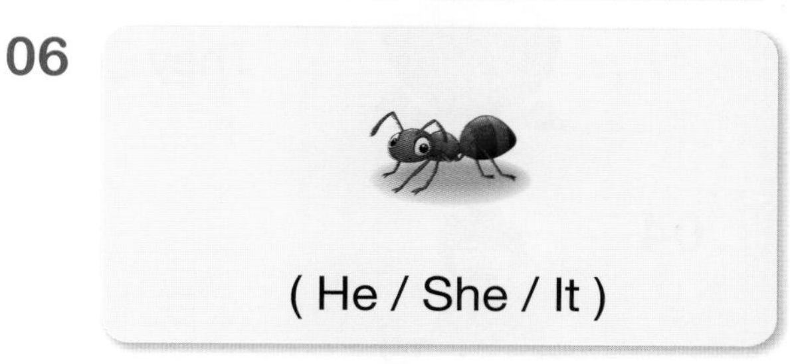
(He / She / It)

2 다음 알맞은 be동사를 고르세요.

01 He (is / are) a pianist. 그는 피아니스트다.

02 She (is / are) a dancer. 그녀는 무용수다.

03 They (is / are) eggs. 그것들은 달걀들이다.

04 It (is / are) an apple. 그것은 사과다.

Words
- **pianist** 피아니스트
- **dancer** 무용수
- **egg** 달걀
- **apple** 사과

Check Up 배운 내용 응용하기

1 다음 보기에서 알맞은 단어를 골라 문장을 완성하세요.

He	She	They	It	is	are

01 It is a computer.

02 ____________ is a singer.

03 They ____________ strawberries.

04 ____________ is a writer.

05 It ____________ a lamp.

06 ____________ are movie actors.

Words

- **computer** 컴퓨터 · **singer** 가수 · **strawberry** 딸기 · **writer** 작가 · **lamp** 램프, 전등
- **movie actor** 영화배우

2 다음 중 밑줄 친 말을 대신할 수 있는 것을 고르세요,

01

Mike is a student.

→ (He / She) is a student.

02

Dave and Jim are brothers.

→ (He / They) are brothers.

03

The dog is fast.

→ (They / It) is fast.

04

The flowers are yellow.

→ (He / They) are yellow.

05

Cathy is a dancer.

→ (He / She) is a dancer.

06

The trees are tall.

→ (It / They) are tall.

07

Tony is sad.

→ (He / She) is sad.

08

The house is big.

→ (It / They) is big.

Words

· **student** 학생 · **brother** 형제 · **fast** 빠른 · **flower** 꽃 · **dancer** 무용수 · **sad** 슬픈
· **house** 집 · **big** 큰

1 다음 우리말과 같도록 밑줄 친 부분을 바르게 고치세요.

01 나는 학생이다.
I is a student. → am

02 우리는 의사들이다.
They are doctors. → ______

03 당신은 예쁘다.
We are pretty. → ______

04 그는 학생이다.
She is a student. → ______

05 그것들은 사자들이다.
They is lions. → ______

06 너희들은 자매들이다.
They are sisters. → ______

07 그것은 더럽다.
They is dirty. → ______

08 그녀는 키가 크다.
She are tall. → ______

Words
· **doctor** 의사 · **pretty** 예쁜 · **sister** 자매 · **dirty** 더러운 · **tall** 키가 큰

2 다음 주어진 단어를 이용하여 문장을 완성하세요.

01 그녀는 예쁘다. (is / pretty)

She is pretty.

02 그것들은 오렌지들이다. (They / oranges)

03 그것은 컴퓨터이다. (is / a computer)

04 우리는 화가들이다. (are / artists)

05 당신은 강하다. (are / strong)

06 그는 키가 크다. (He / tall)

Words
· **pretty** 예쁜 · **orange** 오렌지 · **computer** 컴퓨터 · **artist** 화가 · **strong** 강한

1 다음 중 대명사의 의미가 바르지 **않은** 것을 고르세요.

① You - 너(당신) ② We - 우리 ③ He - 그녀
④ It - 그것 ⑤ They - 그들

[2-3] 다음 중 밑줄 친 부분을 대신할 수 있는 것을 고르세요.

2

David and I are students

① You ② We ③ He
④ It ⑤ They

3

David and Tom are brothers.

① You ② We ③ He
④ It ⑤ They

4 다음 빈칸에 공통으로 들어갈 말을 쓰세요.

· He ____________ tall.
· It ____________ a tree.

____

2
You and I → We
He and She → They

3
· **brother** 형제

5 다음 중 우리말을 영어로 바르게 쓴 것을 고르세요.

우리는 의사들이다.

① We am a doctor.
② We are a doctor.
③ We are doctors.
④ We is doctors.
⑤ We is a doctor.

5
[We+be동사+복수명사] 형태입니다.

6 다음 괄호 안에서 알맞은 것을 고르세요.

(1) He (am / is / are) a police officer.

(2) They (am / is / are) tomatoes.

(3) It (am / is / are) yellow.

(4) Jane (am / is / are) a writer.

6
[They+be동사+복수명사]
[She/He+be동사+단수명사]
형태입니다.

7 다음 영어를 우리말로 쓰세요.

(1) It is a bird.

____

(2) They are buses.

____

(3) She is a pilot.

____

7
- **bird** 새
- **pilot** 비행기 조종사

Words Check

다음 단어의 뜻을 쓰고, 단어를 한 번 더 써보세요.

01	actor 배우	actor	11	lamp	
02	artist		12	nurse	
03	baseball		13	orange	
04	brother		14	pianist	
05	computer		15	player	
06	dancer		16	pretty	
07	egg		17	singer	
08	flower		18	sister	
09	friend		19	strawberry	
10	hungry		20	student	

CHAPTER 4
be동사의 부정문과 의문문

UNIT 01 be동사의 부정문

부정문이란 어떤 것을 부정하는 문장으로 '~은(는) 아니다'라는 식의 문장입니다.
am, are, is 뒤에 not이 오면 '~이 아니다'라는 의미가 됩니다.

I	am not	a singer. 나는 가수가 아니다.
You	are not	a doctor. 너는 의사가 아니다.
She / He	is not	a singer. 그녀는/그는 가수가 아니다.
It	is not	a dog. 그것은 개가 아니다.

TIPS am/are/is를 be동사라고 합니다.

are 뒤에 not이 오면 '~이 아니다'라는 의미가 됩니다.

We	are not	singers. 우리는 가수들이 아니다.
You	are not	doctors. 너희들은 의사들이 아니다.
They	are not	singers. 그들은 가수들이 아니다.
They	are not	computers. 그것들은 컴퓨터들이 아니다.

TIPS is not은 isn't로, are not은 aren't로 줄여 쓸 수 있습니다.
I am not은 I'm not으로 줄여 쓸 수 있습니다.

* You are not a doctor. → You **aren't** a doctor.
* They are not apples. → They **aren't** apples.
* It is not a book. → It **isn't** a book.
* I am a doctor. → I'**m not** a doctor.

배운 내용 확인하기

1 다음 우리말과 같도록 괄호 안에서 알맞은 것을 고르세요.

01 나는 의사가 아니다.
I (am / am not) a doctor.

02 그것들은 사과들이 아니다.
They (are / aren't) apples.

03 우리는 가수들이 아니다.
We (are / are not) singers.

04 그것은 고래가 아니다.
It (not is / is not) a whale.

05 그들은 요리사들이다.
They (are / are not) cooks.

06 그는 영화배우가 아니다.
He (not is / isn't) a movie actor.

07 그녀는 간호사가 아니다.
She (is not / are not) a nurse.

08 우리는 과학자들이 아니다.
We (isn't / aren't) scientists.

Words
· **singer** 가수 · **whale** 고래 · **movie actor** 영화배우 · **nurse** 간호사 · **scientist** 과학자

Check Up

배운 내용 응용하기

1 다음 밑줄 친 부분을 줄임말로 바꿔 문장을 다시 쓰세요.

01

She is not a cook.

→ She isn't a cook.

02

They are not cookies.

→ ______________________________

03

We are not vets.

→ ______________________________

04

I am not a pilot.

→ ______________________________

05

He is not a baseball player.

→ ______________________________

06

It is not a boat.

→ ______________________________

Words

· **cookie** 쿠키 · **vet** 수의사 · **pilot** 비행기 조종사 · **baseball player** 야구선수 · **boat** 배

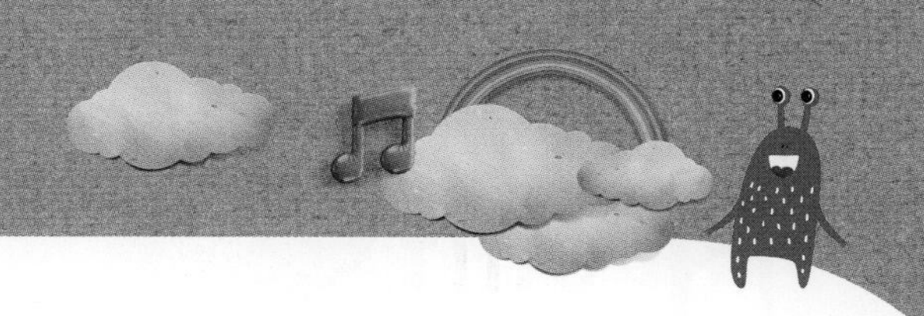

2 다음 그림을 보고 빈칸에 알맞은 말을 쓰세요.

01

He ___is___ ___not___ a doctor.
He ___isn't___ a doctor.
He ___is___ a cook.

02

He ________ ________ a singer.
He ________ a singer.
He ________ a teacher.

03

They ________ ________ cats.
They ________ cats.
They ________ dogs.

04

She ________ ________ a nurse.
She ________ a nurse.
She ________ a dancer.

05

It ________ ________ a desk.
It ________ a desk.
It ________ a chair.

06

I ________ ________ a cook.
________ not a cook.
I ________ a doctor.

Words

- **cook** 요리사 · **singer** 가수 · **teacher** 선생님 · **nurse** 간호사 · **dancer** 무용수

Chapter 4

UNIT 02 be동사의 의문문

1 상대방에게 질문하는 문장을 의문문이라고 하며, '~이니?', '~에 있니?' 등의 의미가 있습니다. 의문문을 만들 때 반드시 문장 끝에 물음표(?)를 붙여야 합니다.

- Are you happy? 너는 행복하니?
- Is he a scientist? 그는 과학자니?

2 **의문문 만들기** : Be동사의 의문문은 [Am / Is / Are + 주어 ~ ?]의 형태가 됩니다.

- **평서문** You are a student. 너는 학생이다.

  의문문 Are you a student? 너는 학생이니?

- **평서문** They are firefighters. 그들은 소방관들이다.

  의문문 Are they firefighters? 그들은 소방관들이니?

3 **의문문 대답하기** : 긍정이면 Yes, 부정이면 No를 사용해야 합니다.

의문문	대답 (긍정)	대답 (부정)
Are you a student? 너는 학생이니?	Yes, I am. 응, 그래.	No, I am not. (I'm not.) 아니, 그렇지 않아.
Is she a student? 그녀는 학생이니?	Yes, she is. 응, 그래.	No, she isn't. 아니, 그렇지 않아.
Is he a student? 그는 학생이니?	Yes, he is. 응, 그래.	No, he isn't. 아니, 그렇지 않아.
Is it a book? 그것은 책이니?	Yes, it is. 응, 그래.	No, it isn't. 아니, 그렇지 않아.
Are you students? 너희들은 학생들이니?	Yes, we are. 응, 그래.	No, we aren't. 아니, 그렇지 않아.
Are they students? 그들은 학생들이니?	Yes, they are. 응, 그래.	No, they aren't. 아니, 그렇지 않아.

TIPS 너희들(You)로 물으면, we로 대답해야 합니다.

A: Are you students? 너희들은 학생들이니?

B: Yes, we are. 응, 그래. / No, we aren't. 아니, 그렇지 않아.

배운 내용 확인하기

1 다음 우리말과 같도록 괄호 안에서 알맞은 것을 고르세요.

01 그는 키가 크니?
(Is he / Is she) tall?

02 그녀는 가수니?
(Is she / Is he) a singer?

03 그것들은 포도니?
(Are they / Is it) grapes?

04 그들은 군인이니?
(Are they / Are we) soldiers?

05 그것은 당근이니?
(Is he / Is it) a carrot?

06 너는 학생이니?
(Are you / Are they) a student?

07 그것은 깨끗하니?
(Is she / Is it) clean?

08 우리는 소방관들이니?
(Are we / Are they) firefighters?

Words
· **singer** 가수 · **grape** 포도 · **soldier** 군인 · **carrot** 당근 · **firefighter** 소방관

배운 내용 응용하기

1 다음 문장을 의문문으로 바꿔 쓰세요.

01 You are tall. 당신은 키가 크다.

→ Are you ______ tall?

02 She is Chinese. 그녀는 중국인이다.

→ ______ Chinese?

03 It is a ruler. 그것은 자다.

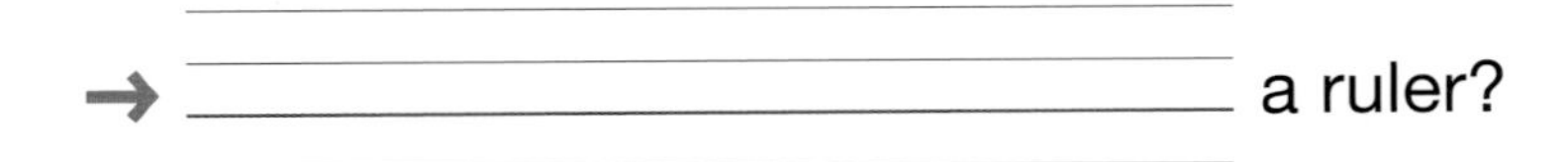

→ ______ a ruler?

04 He is a firefighter. 그는 소방관이다.

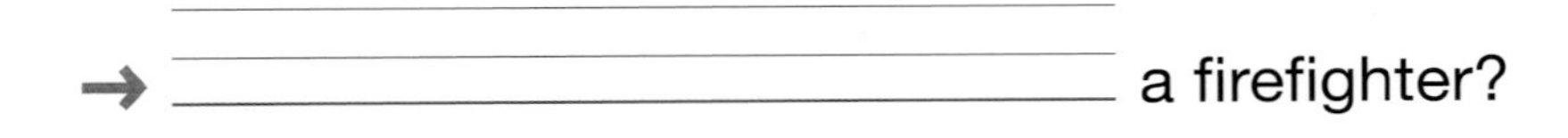

→ ______ a firefighter?

05 They are turtles. 그것들은 거북들이다.

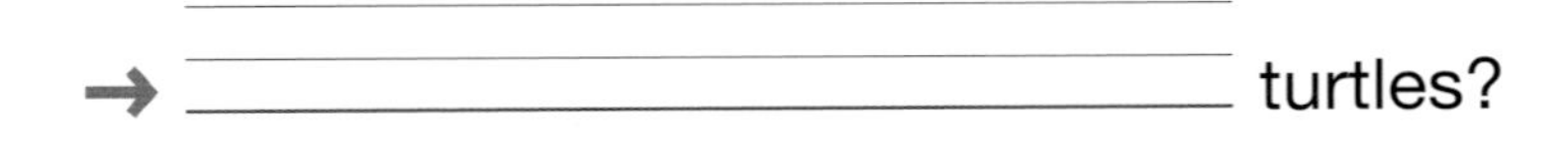

→ ______ turtles?

06 Mike is a writer. 마이크는 작가이다.

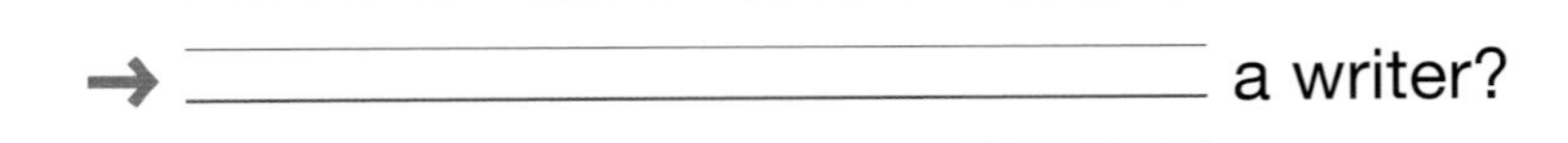

→ ______ a writer?

Words

· **Chinese** 중국인 · **ruler** 자 · **firefighter** 소방관 · **turtle** 거북 · **writer** 작가

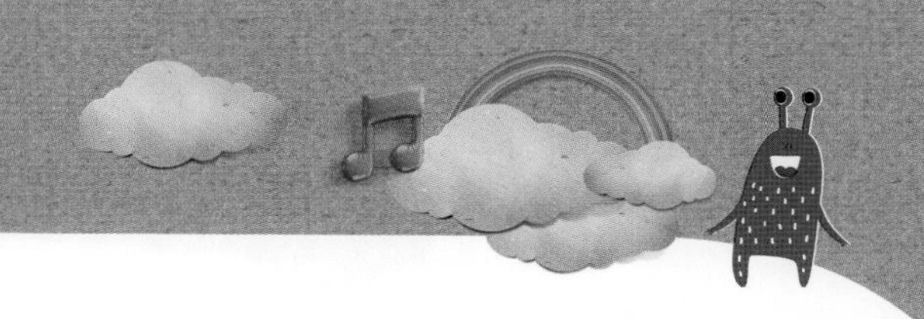

2 다음 그림을 보고 괄호 안에서 알맞은 것을 고르세요.

01 

A: Is he a doctor? 그는 의사니?

B: Yes, (he is / she is). 응, 그래.

02 

A: Is (it / he) a tiger? 그것은 호랑이니?

B: No, it (is / isn't). 아니, 그렇지 않아.

03 

A: Is he hungry? 그는 배가 고프니?

B: No, he (isn't / aren't). 아니, 그렇지 않아.

04 

A: Is (it / they) a cucumber? 그것은 오이니?

B: (Yes / No), it isn't. 아니, 그렇지 않아.

05 

A: Are they police officers? 그들은 경찰관들이니?

B: No, they (are / aren't). 아니, 그렇지 않아.

06 

A: Are you cooks? 너희들은 요리사들이니?

B: Yes, we (are / is). 응, 그래.

07 

A: Is (she / he) a scientist? 그녀는 과학자니?

B: (Yes / No), she isn't. 아니, 그렇지 않아.

08 

A: Is (she / he) tall? 그는 키가 크니?

B: Yes, he (is / isn't). 응, 그래.

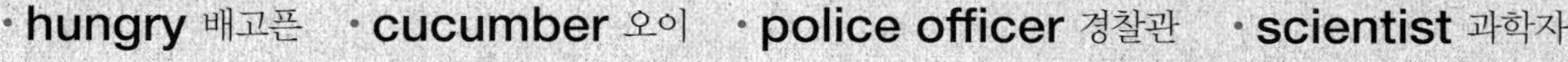

Words

- **hungry** 배고픈
- **cucumber** 오이
- **police officer** 경찰관
- **scientist** 과학자

Level Up 배운 내용 점검하기

1 다음 문장을 부정문으로 바꿔 쓰세요. (축약형을 쓰지 마세요.)

01 They are elephants. 그것들은 코끼리들이다.

→ They are not elephants.

02 You are strong. 당신은 강하다.

→

03 The bike is new. 그 자전거는 새것이다.

→

04 They are fresh. 그것들은 신선하다.

→

05 It is delicious. 그것은 맛있다.

→

06 He is a politician. 그는 정치가다.

→

Words

- **elephant** 코끼리 · **strong** 강한 · **bike** 자전거 · **fresh** 신선한 · **delicious** 맛있는
- **politician** 정치가

2 다음 그림을 보고 빈칸에 알맞은 답변을 쓰세요.

01 

A: Is he an artist? 그는 화가니?

B: No, he ___isn't___. 아니, 그렇지 않아.

02 

A: Is it a pencil? 그것은 연필이니?

B: Yes, ________ is. 응, 그래.

03 

A: Are they new shoes? 그것들은 새 신발이니?

B: ________, they aren't. 아니, 그렇지 않아.

04 

A: Are you a baseball player? 너는 야구선수니?

B: No, I am ________. 아니, 그렇지 않아.

05 

A: Are ________ grapes? 그것들은 포도니?

B: Yes, they are. 응, 그래.

06 

A: Is ________ a doctor? 그녀는 의사니?

B: No, she ________. 아니, 그렇지 않아.

07 

A: Are you students? 너희들은 학생들이니?

B: Yes, ________ are. 응, 그래.

08 

A: Is ________ a watermelon? 그것은 수박이니?

B: ________, it isn't. 아니, 그렇지 않아.

Words
· artist 화가 · shoe 신발 · baseball player 야구선수 · grape 포도 · watermelon 수박

1

다음 괄호 안에서 알맞은 것을 고르세요.

(1) He (am / isn't) a nurse.
(2) (Is it / are they) a carrot?
(3) They (aren't / isn't) artists.

1
- nurse 간호사
- carrot 당근
- artist 화가, 예술가

[2-3] 다음 중 대화의 빈칸에 들어갈 알맞은 대답을 고르세요.

2

A: Are you a doctor?
B: Yes, ________________.

① I am ② he is ③ she is
④ they are ⑤ we are

3

A: Are they rabbits?
B: Yes, ________________.

① I am ② he is ③ she is
④ they are ⑤ we are

3
they로 질문하고 있습니다.
- rabbit 토끼

4

다음 중 우리말과 같도록 빈칸에 들어갈 알맞은 것을 고르세요.

그들은 같은 반 학생이 아니다.
They ________________ classmates.

① am not ② is ③ is not
④ are ⑤ aren't

4
- classmate 같은 반 친구

[5-6] 다음 그림을 보고 빈칸에 알맞은 말을 쓰세요. (축약형으로 쓰세요.)

5 

He ______________ a taxi driver.

He is a teacher.

6 

They ______________ melons.

They are apples.

5-6
be동사 다음에 not이 옵니다.
is not → isn't
are not → aren't

[7-8] 다음 그림을 보고 빈칸에 알맞은 말을 쓰세요.
(부정형은 축약형으로 쓰세요.)

7 

A: Are ______________ zebras?

B: ______________, they ______________.

7
• **zebra** 얼룩말

8 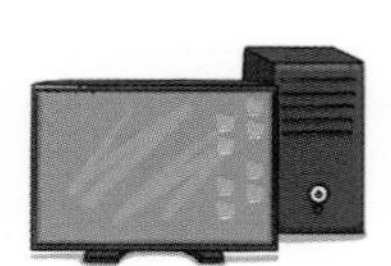

A: ______________ it a telephone?

B: No, ______________ ______________.

Words Check

다음 단어의 뜻을 쓰고, 단어를 한 번 더 써보세요.

No.	Word	Meaning	Write
01	boat	배	boat
02	cucumber		
03	dancer		
04	delicious		
05	elephant		
06	firefighter		
07	fresh		
08	grape		
09	nurse		
10	pilot		
11	player		
12	politician		
13	scientist		
14	soldier		
15	strong		
16	turtle		
17	vet		
18	watermelon		
19	whale		
20	writer		

CHAPTER 5
this / that / these / those

UNIT 01 this와 that

1 this와 that의 쓰임

(1) this는 '이것'이란 의미로 말하는 사람 가까운 곳에 있는 물건이나 동물을 가리킬 때 사용합니다.
(2) that은 '저것'이란 의미로 말하는 사람에게서 조금 멀리 있는 곳에 있는 물건이나 동물을 가리킬 때 사용합니다.

This is a pencil. 이것은 연필이다.

This is a box. 이것은 상자이다.

That is a cat. 저것은 고양이다.

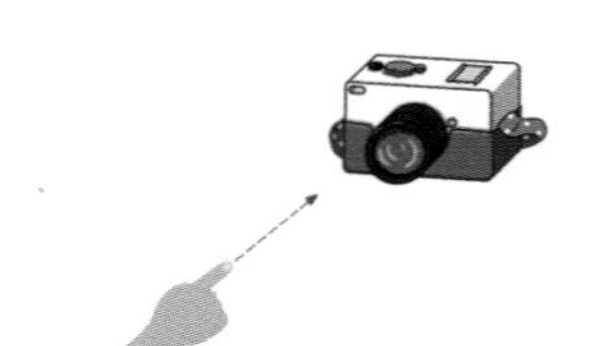

That is a camera. 저것은 카메라다.

TIPS this나 that이 주어로 사용될 경우 be동사는 is를 써야 합니다.

2 부정문을 만들 때에는 isn't를 사용합니다.

This **isn't** a pencil.
이것은 연필이 아니다.

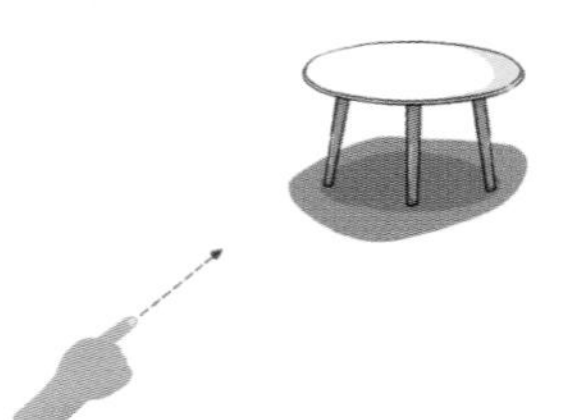

That **isn't** a chair.
저것은 의자가 아니다.

TIPS isn't는 is not의 줄임말입니다.

배운 내용 확인하기

1 다음 그림을 보고 괄호 안에서 알맞은 것을 고르세요.

01

(This / That) is a bike.
저것은 자전거다.

02

(This / That) is a car.
이것은 자동차다.

03

(This / That) is a lion.
이것은 사자이다.

04

(This / That) is a bird.
저것은 새다.

05

(This / That) is a rose.
이것은 장미다.

06

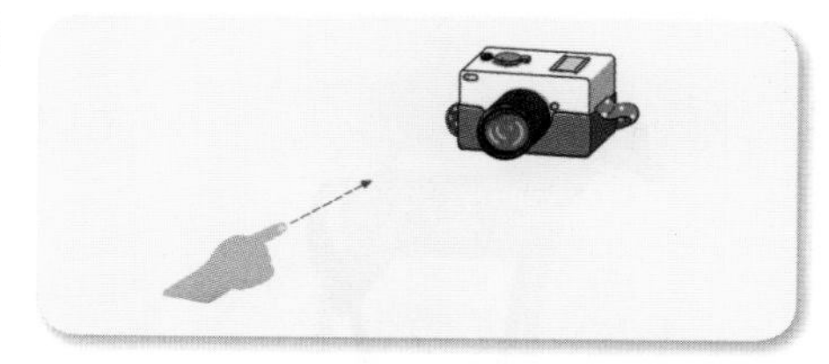

(This / That) is a camera.
저것은 카메라다.

07

(This / That) isn't a bus.
이것은 버스가 아니다.

08

(This / That) isn't a duck.
저것은 오리가 아니다.

Words

· **bike** 자전거 · **bird** 새 · **rose** 장미 · **camera** 카메라 · **duck** 오리

1 다음 그림을 보고 우리말과 같도록 알맞은 말을 쓰세요.

01 저것은 모자다.
That is a hat.

02 이것은 전등이다.
_______ is a lamp.

03 저것은 개구리가 아니다.
_______ a frog.

04 이것은 얼룩말이 아니다.
_______ a zebra.

05 이것은 개미다.
_______ is an ant.

06 이것은 지우개이다.
_______ is an eraser.

Words
- **hat** 모자
- **lamp** 램프, 전등
- **frog** 개구리
- **zebra** 얼룩말
- **ant** 개미
- **eraser** 지우개

2 다음 그림을 보고 영어와 같도록 빈칸에 알맞은 말을 쓰세요.

01 This is a giraffe.
이것은 기린이다.

02 That is a pig.
________ 돼지다.

03 This isn't a pencil.
________ 연필이 ________.

04 That isn't a rabbit.
________ 토끼가 ________.

05 That is a book.
________ 책이다.

06 That is a fox.
________ 여우다.

07 That isn't a lemon.
________ 레몬이 ________.

08 This isn't an eraser.
________ 지우개가 ________.

Words
· **giraffe** 기린 · **pig** 돼지 · **rabbit** 토끼 · **fox** 여우 · **lemon** 레몬 · **eraser** 지우개

UNIT 02 these와 those

1 these와 those의 쓰임

(1) these는 '이것들'이란 의미로 말하는 사람 가까운 곳에 있는 2개 이상의 물건이나 동물을 가리킬 때 사용합니다.

(2) those는 '저것들'이란 의미로 말하는 사람에서 조금 멀리 있는 곳에 있는 2개 이상의 물건이나 동물을 가리킬 때 사용합니다.

These are pencils. 이것들은 연필들이다.

These are flowers. 이것들은 꽃들이다.

Those are cats. 저것들은 고양이들이다.

Those are watches. 저것들은 (손목)시계들이다.

TIPS these나 those가 주어로 사용될 경우 be동사는 are를 써야 합니다.

2 부정문을 만들 때에는 aren't를 사용합니다.

These **aren't** pencils.
이것들은 연필들이 아니다.

Those **aren't** computers.
저것들은 컴퓨터들이 아니다.

TIPS aren't는 are not의 줄임말입니다.

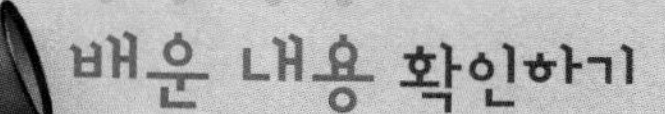

1 다음 그림을 보고 괄호 안에서 알맞은 것을 고르세요.

01

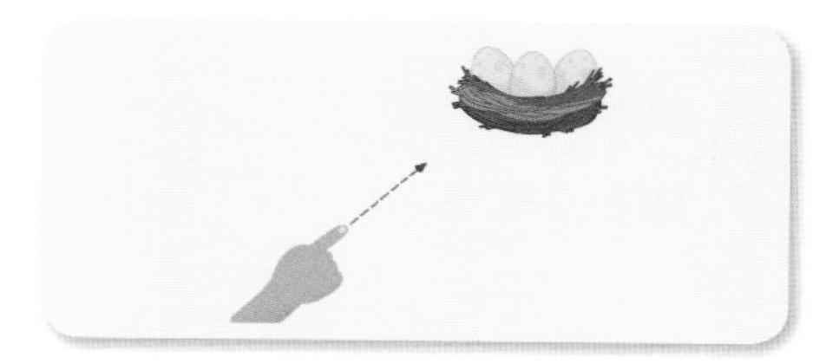

(These / Those) are eggs.
저것들은 달걀들이다.

02

(This / These) are apples.
이것들은 사과들이다.

03

(These / Those) are cats.
저것들은 고양이들이다.

04

(That / Those) are birds.
저것들은 새들이다.

05

These (is / are) flowers.
이것들은 꽃들이다.

06

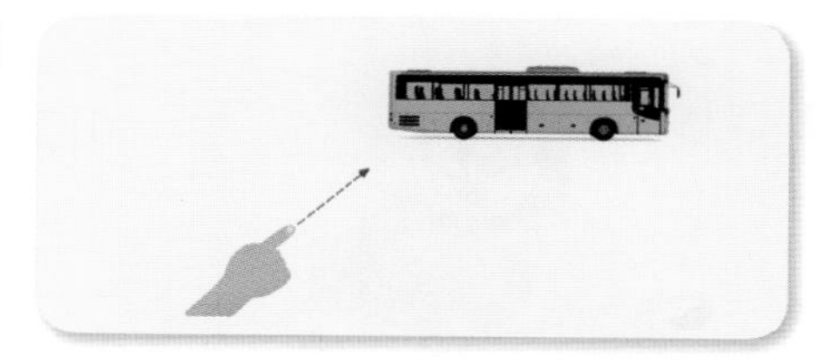

(This / That) is a bus.
저것은 버스다.

07

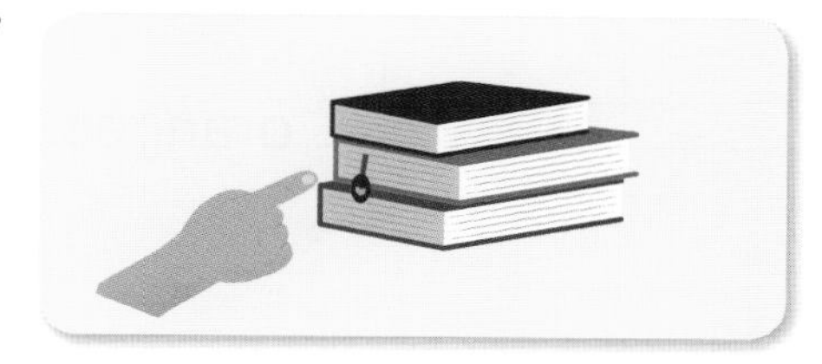

(These / Those) aren't pencils.
이것들은 연필들이 아니다.

08

Those (isn't / aren't) ducks.
저것들은 오리들이 아니다.

Words
· **apple** 사과 · **bird** 새 · **flower** 꽃 · **bus** 버스 · **duck** 오리

Check Up 배운 내용 응용하기

1 다음 그림을 보고 우리말과 같도록 알맞은 말을 쓰세요.

01 저것들은 야구모자들이다.

Those are caps.

02 이것들은 접시들이다.

________ are plates.

03 이것들은 크레용들이 아니다.

________ crayons.

04 이것들은 호랑이들이 아니다.

________ tigers.

05 저것들은 오렌지들이다.

________ oranges.

06 이것들은 지우개들이다.

________ erasers.

Words

· **cap** 야구모자 · **plate** 접시 · **crayon** 크레용 · **tiger** 호랑이 · **orange** 오렌지

2 다음 그림을 보고 영어와 같도록 빈칸에 알맞은 말을 쓰세요.

01 These are boxes.

이것들은 상자들이다.

02 Those are horses.

__________ 말들이다.

03 These aren't cell phones.

__________ 휴대폰들이 __________.

04 Those aren't ants.

__________ 개미들이 __________.

05 Those are turtles.

__________ 거북들이다.

06 These are violins.

__________ 바이올린들이다.

07 Those aren't watermelons.

__________ 수박들이 __________.

08 These aren't kangaroos.

__________ 캥거루들이 __________.

Words

· **horse** 말 · **cell phone** 휴대폰 · **ant** 개미 · **turtle** 거북 · **violin** 바이올린 · **watermelon** 수박 · **kangaroo** 캥거루

배운 내용 점검하기

1 다음 그림을 보고 알맞은 말을 쓰세요.

01 

These are guitars.

02 

__________ is a cat.

03 

__________ are pigs.

04 

__________ is a lion.

05 

__________ are umbrellas.

06 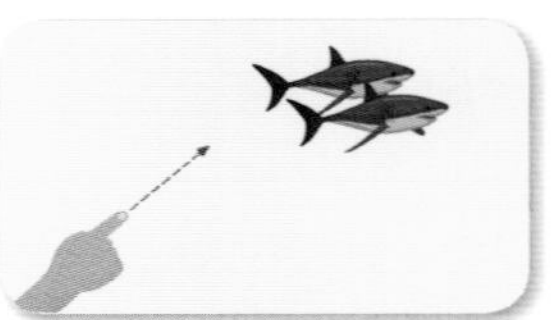

__________ is a cup.

07 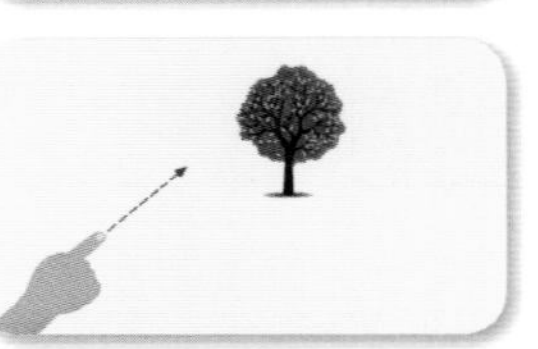

__________ are sharks.

08

__________ is a tree.

Words

· **guitar** 기타 · **pig** 돼지 · **lion** 사자 · **umbrella** 우산 · **shark** 상어

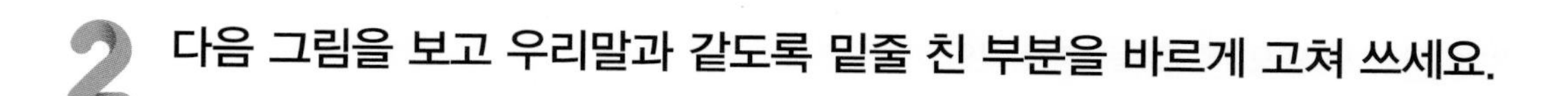

2 다음 그림을 보고 우리말과 같도록 밑줄 친 부분을 바르게 고쳐 쓰세요.

01

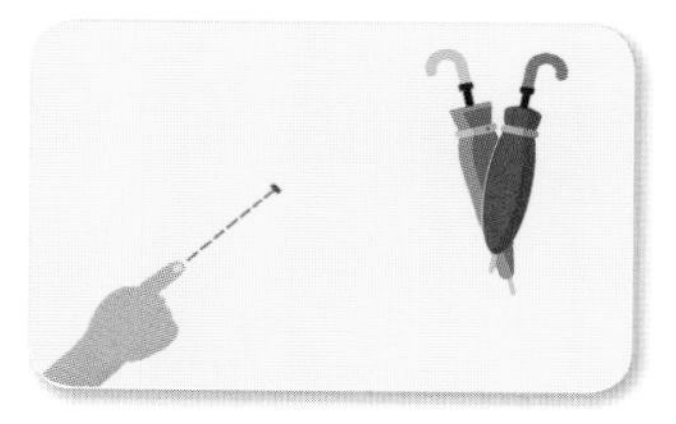

That are umbrellas. 저것들은 우산들이다.

→ Those are umbrellas.

02

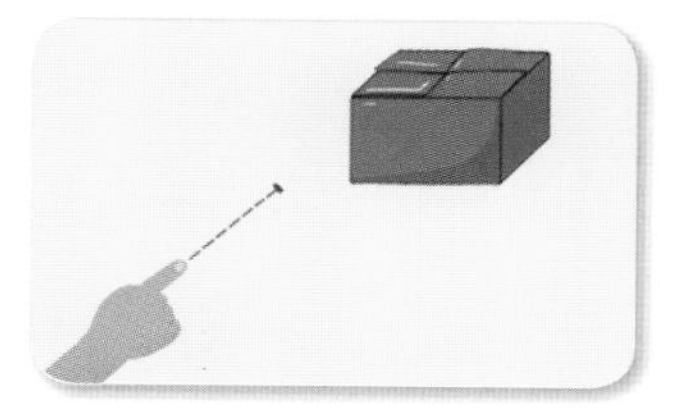

This is a box. 저것은 상자다.

→

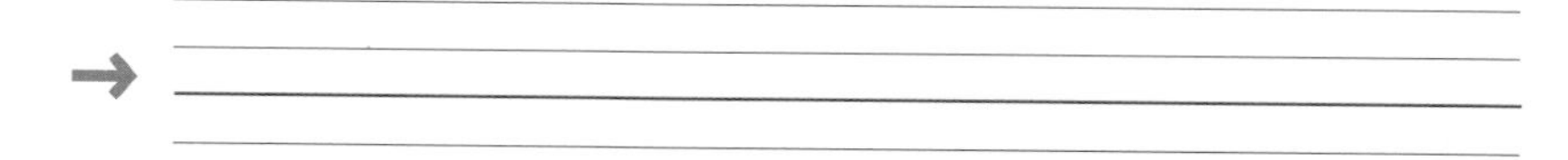

03

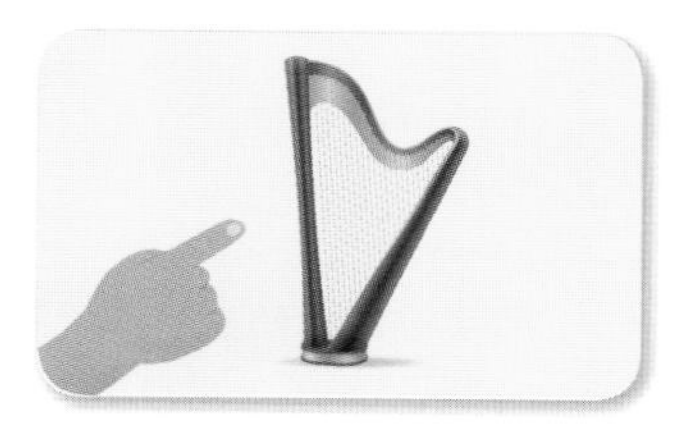

This is a guitar. 이것은 기타가 아니다.

→

04

Those are pencils. 이것들은 연필들이다.

→

05

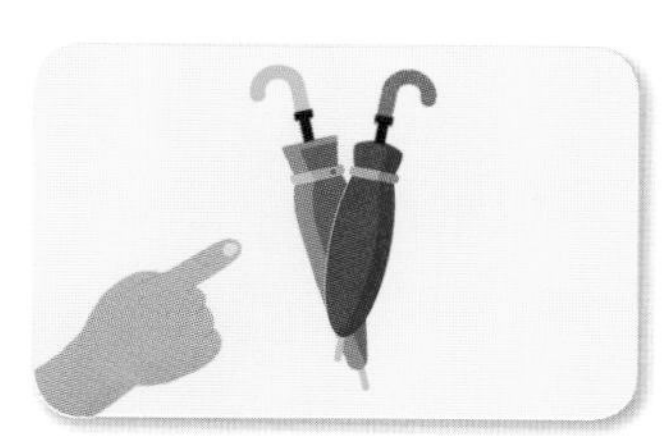

These is umbrellas. 이것들은 우산들이다.

→

06

These is a backpack. 이것은 배낭이다.

→

Words

- umbrella 우산
- guitar 기타
- pencil 연필
- backpack 배낭

Actual Test

1 다음 그림을 보고 괄호 안에서 알맞은 것을 고르세요.

(1) (This / That) is a horse.

저것은 말이다.

(2) (These / Those) are carrots.

이것들은 당근들이다.

(3) This (isn't / aren't) a cup.

이것은 컵이 아니다.

1
- **horse** 말
- **carrot** 당근

[2-3] 다음 중 우리말과 같도록 빈칸에 들어갈 알맞은 말을 고르세요.

2

저것들은 수박들이 아니다.

Those ________ watermelons.

① am ② is ③ isn't
④ are ⑤ aren't

2
isn't와 aren't를 구별하세요.

3

저것은 토끼다.

________ is a rabbit.

① This ② That ③ These
④ Those ⑤ It

3
- **rabbit** 토끼

4 다음 중 밑줄 친 부분이 올바르지 **않은** 것을 고르세요.

① This is a book.
② That isn't a computer.
③ Those are school uniforms.
④ These are candles.
⑤ These isn't cookies.

4
• school uniform 교복

[5-6] 다음 그림을 보고 빈칸에 알맞은 말을 쓰세요.

5

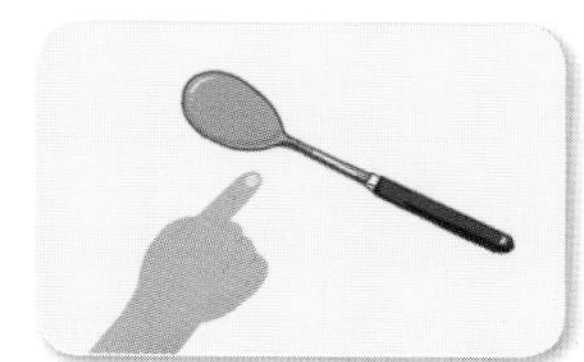

This ______________ a fork.
This is a spoon.

5
isn't와 aren't를 구별하세요.

6

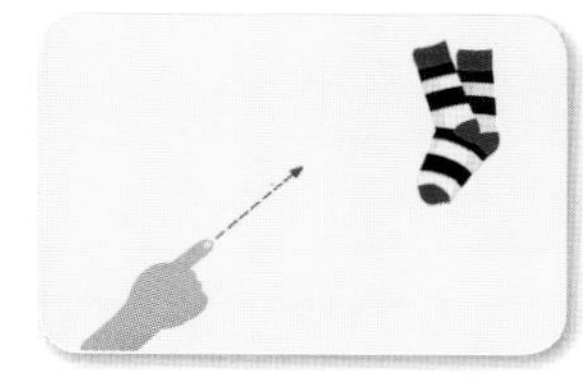

Those ______________ shoes.
Those are socks.

6
• socks 양말

[7-8] 다음 그림을 보고 밑줄 친 부분을 바르게 고치세요.

7

This are zebras.
→ ______________ are zebras.

7
• this 이것
• these 이것들
• zebra 얼룩말

8

Those is a bus.
→ ______________ is a bus.

8
• that 저것

Words Check

다음 단어의 뜻을 쓰고, 단어를 한 번 더 써보세요.

No.	Word	Meaning	Write
01	apple	사과	apple
02	backpack		
03	camera		
04	cell phone		
05	duck		
06	eraser		
07	flower		
08	frog		
09	giraffe		
10	guitar		
11	horse		
12	kangaroo		
13	lamp		
14	rabbit		
15	shark		
16	tiger		
17	turtle		
18	umbrella		
19	violin		
20	zebra		

CHAPTER 6
일반동사 I

UNIT 01 일반동사의 의미

1 일반동사는 사람이나 동물의 동작이나 감정 등을 나타내는 말입니다.
예를 들어, '달리다(run)', '먹다(eat)', '좋아하다(like)', '사랑하다(love)' 등이 일반동사입니다.

2 일반동사의 위치

일반동사는 일반적으로 '주어' 다음에 위치해서 주어의 동작이나 상태를 설명해 줍니다.

 I watch TV. 나는 TV를 본다. (I: 주어, watch: 동사)	 We eat pizza. 우리는 피자를 먹는다. (We: 주어, eat: 동사)

3 움직임을 나타내는 동사

eat 먹다	watch 보다	walk 걷다	run 달리다
read 읽다	sing 노래하다	dance 춤추다	wash 씻다

4 움직임이 없는 동사

like 좋아하다	love 사랑하다	have 가지다, 있다	need 필요하다
I like apples. 나는 사과를 좋아한다.	I love my dog. 나는 나의 개를 사랑한다.	I have a bike. 나는 자전거를 가지고 있다.	I need a computer. 나는 컴퓨터가 필요하다.

Warm Up

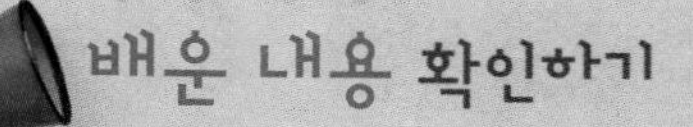

1 다음 그림을 보고 괄호 안에서 알맞은 단어를 고르세요.

01  wash
(씻다 / 보다)

02  run
(걷다 / 달리다)

03  love
(사랑하다 / 쓰다)

04  go
(가다 / 달리다)

05  drink
(먹다 / 마시다)

06  watch
(보다 / 좋아하다)

07  read
(읽다 / 쓰다)

08  write
(읽다 / 쓰다)

09  sing
(노래하다 / 읽다)

10  eat
(마시다 / 먹다)

11  like
(좋아하다 / 먹다)

12  need
(필요하다 / 놀다)

Words

· **wash** 씻다, 닦다 · **watch** 보다 · **write** 쓰다 · **sing** 노래하다 · **need** 필요하다

Check Up 배운 내용 응용하기

1 다음 문장에서 동사에 동그라미 하고, 그 뜻을 쓰세요.

01 I (eat) dinner at 7 o'clock. 먹다

02 I read books. ________

03 We like strawberries. ________

04 We love music. ________

05 They run fast. ________

06 They study English. ________

07 I write a letter. ________

08 We need a computer. ________

09 We sing a song. ________

10 They have a car. ________

Words
· **dinner** 저녁(식사) · **strawberry** 딸기 · **music** 음악 · **fast** 빨리 · **English** 영어
· **letter** 편지 · **computer** 컴퓨터 · **song** 노래

2 다음 그림을 보고 보기에서 알맞은 말을 골라 쓰세요.

read drink go wash watch eat

01 I ___read___ a magazine.

02 We __________ milk.

03 I __________ my face.

04 We __________ spaghetti.

05 They __________ a movie.

06 They __________ to the zoo.

Words

· **magazine** 잡지 · **milk** 우유 · **face** 얼굴 · **spaghetti** 스파게티 · **movie** 영화
· **zoo** 동물원

UNIT 02 일반동사의 모양

1 주어가 I / You / We / They이면 동사의 모양을 그대로 씁니다.

I **like** vegetables.
나는 야채를 좋아한다.

You **watch** TV.
너는 TV를 본다.

We **drink** milk.
우리는 우유를 마신다.

They **eat** pizza.
그들은 피자를 먹는다.

2 주어가 3인칭 단수인 He / She / It이나 단수명사가 오면 동사 끝에 -s나 -es를 붙입니다.

He **likes** vegetables.
그는 야채를 좋아한다.

She **watches** TV.
그녀는 TV를 본다.

It **drinks** milk.
그것은 우유를 마신다.

The dog **eats** pizza.
그 개는 피자를 먹는다.

TIPS
1. 단수란 1명 또는 사물 1개를 의미합니다. 3인칭이란 I(나), You(너/너희), We(우리)를 제외한 나머지를 말합니다.
2. 대부분의 동사에 -s를 붙이며 -s/-sh/-ch/-o/-x로 끝나는 동사에는 -es를 붙입니다.

대부분의 동사		-s/-sh/-ch/-o/-x로 끝나는 동사	
eat - eats (먹다)	like - likes (좋아하다)	watch - watches (보다)	do - does (하다)
run - runs (달리다)	read - reads (읽다)	wash - washes (씻다)	cross - crosses (건너다)

3. '가지다', '먹다'의 의미인 have는 주어가 He, She, It일 경우 has로 씁니다.
   I **have** a computer. 나는 컴퓨터가 있다. He **has** a computer. 그는 컴퓨터가 있다.

1 다음 괄호 안에서 주어가 3인칭 단수일 때 동사의 형태를 고르고, 단어의 뜻을 쓰세요.

01	play	(plays / playes)	▶ 놀다, 연주하다
02	drink	(drinks / drinkes)	▶ ______
03	go	(gos / goes)	▶ ______
04	have	(haves / has)	▶ ______
05	watch	(watchs / watches)	▶ ______
06	love	(loves / lovees)	▶ ______
07	do	(do / does)	▶ ______
08	run	(runs / runes)	▶ ______
09	cross	(cross / crosses)	▶ ______
10	walk	(walks / walkes)	▶ ______

Words

· **play** 놀다, 연주하다 · **go** 가다 · **run** 달리다 · **cross** 건너다 · **walk** 걷다

1 다음 괄호 안에서 알맞은 말을 고르세요.

01 He (eat / eats) lunch at noon.

02 They (read / reads) books.

03 The baby (drink / drinks) milk.

04 She (play / plays) the piano.

05 We (like / likes) apples.

06 Sam (love / loves) music.

07 We (sleep / sleeps) in the bed.

08 The dog (run / runs) fast.

09 He (go / goes) to the park every day.

10 I (wash / washes) the dishes.

Words

· **noon** 정오 · **milk** 우유 · **piano** 피아노 · **music** 음악 · **sleep** 자다 · **park** 공원
· **dish** 접시

2 다음 주어진 단어를 이용하여 알맞은 형태로 쓰세요.

01 read
I ___read___ books.
He ___reads___ books.

02 wash
You __________ a car.
Kevin __________ a car.

03 go
They __________ to school.
She __________ to school.

04 cross
We __________ the street.
It __________ the street.

05 have
She __________ a backpack.
You __________ a backpack.

06 watch
I __________ TV.
She __________ TV.

Words
· **wash** 씻다, 닦다 · **school** 학교 · **street** 거리 · **backpack** 배낭

1 다음 우리말과 같도록 보기의 단어를 이용하여 문장을 완성하세요. (필요하면 동사를 변형하세요.)

eat　wash　drink　teach　do　have

01 We ______eat______ cookies.

우리는 쿠키를 먹는다.

02 They ____________ milk in the morning.

그들은 아침에 우유를 마신다.

03 Dad ____________ the dishes.

아빠는 설거지를 한다.

04 Mr. Brian ____________ English.

브라이언 씨는 영어를 가르친다.

05 It ____________ a long tail.

그것은 긴 꼬리를 가지고 있다.

06 She ____________ her homework after school.

그녀는 방과 후 숙제를 한다.

Words

· **cookie** 쿠키 · **in the morning** 아침에 · **wash the dishes** 설거지하다 · **teach** 가르치다
· **tail** 꼬리 · **homework** 숙제 · **after school** 방과 후에

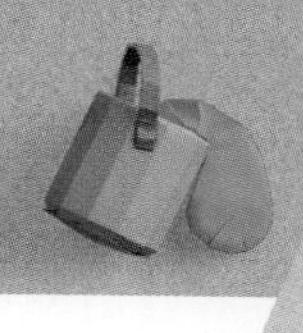

2 다음 우리말과 같도록 주어진 단어를 바르게 배열하세요. (필요하면 동사를 변형하세요.)

01 우리는 운동을 좋아한다. (We / sports / like)

→ We like sports.

02 그녀는 야구를 한다. (She / baseball / play)

→

03 그들은 설거지를 한다. (wash / the dishes / They)

→

04 그녀는 강아지가 있다. (She / a puppy / have)

→

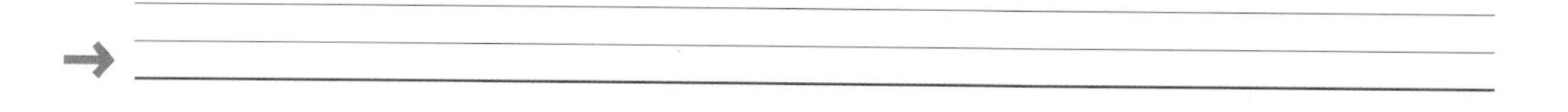

05 그는 학교에 간다. (He / go / to school)

→

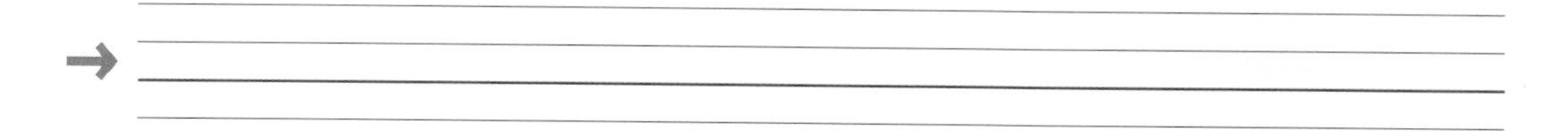

06 그 개는 빨리 달린다. (The dog / run / fast)

→

Words

- **sports** 운동, 스포츠
- **baseball** 야구
- **puppy** 강아지
- **run** 달리다
- **fast** 빨리

1 다음 중 동사가 <u>**아닌**</u> 것을 고르세요.

① read ② have ③ eat
④ school ⑤ go

2 다음 중 동사의 변화가 알맞지 <u>**않은**</u> 것을 고르세요.

① go - goes ② watch - watches
③ cross - crosses ④ wash - washes
⑤ jump - jumpes

2
대부분의 동사에 -s를 붙이며 -s/-sh/-ch/-o/-x로 끝나는 동사에는 -es를 붙입니다.

[3-4] 다음 중 우리말과 같도록 빈칸에 알맞은 말을 고르세요.

3

그들은 축구를 한다.
They __________ soccer.

① read ② play ③ walk
④ have ⑤ wash

4

마이크는 피자를 좋아한다.
Mike __________ pizza.

① drinks ② likes ③ cooks
④ makes ⑤ eats

4
3인칭 단수에 -s나 -es를 붙입니다.

5 다음 중 밑줄 친 부분이 올바르지 **않은** 것을 고르세요.

① She reads a book.

② I has a computer.

③ We wear school uniforms.

④ She loves music.

⑤ They eat cookies.

6 다음 밑줄 친 부분을 바르게 고치세요.

(1) We drinks orange juice in the morning. ______

(2) They goes to the park. ______

(3) He watch movies. ______

7 다음 영어를 우리말로 쓰세요.

(1) We play baseball.

______

(2) I like cookies.

______

(3) She teaches English.

______

5
대부분의 동사에 -s를 붙이며 -s/-sh/-ch/-o/-x로 끝나는 동사에는 -es를 붙입니다.
- **wear** 입다
- **music** 음악

6
- **morning** 아침
- **park** 공원

7
- **play** 놀다, 게임을 하다

Words Check

다음 단어의 뜻을 쓰고, 단어를 한 번 더 써보세요.

No.	Word	Meaning	Write	No.	Word	Meaning	Write
01	baseball	야구	baseball	11	need		
02	cookie			12	noon		
03	cross			13	park		
04	dinner			14	puppy		
05	dish			15	song		
06	fast			16	spaghetti		
07	homework			17	sports		
08	letter			18	strawberry		
09	magazine			19	street		
10	morning			20	write		

CHAPTER 7
일반동사 Ⅱ

UNIT 01 일반동사 부정문
UNIT 02 일반동사 의문문

UNIT 01 일반동사 부정문

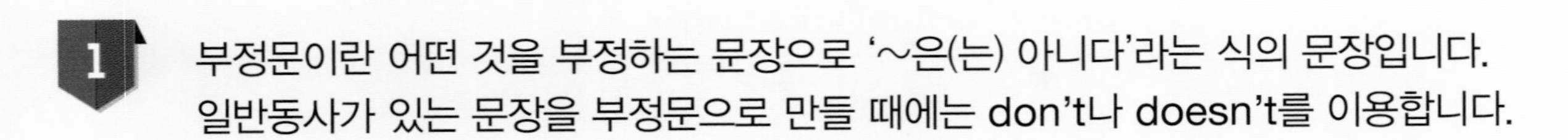

1 부정문이란 어떤 것을 부정하는 문장으로 '~은(는) 아니다'라는 식의 문장입니다.
일반동사가 있는 문장을 부정문으로 만들 때에는 don't나 doesn't를 이용합니다.

2 주어가 I / You / We / They / 복수명사 등일 때는 don't를 사용합니다.

I / You / We / They	**don't +** 동사원형 ~ .
복수명사 **(The girls)**	

- We drink coffee. 우리는 커피를 마신다.
  → We **don't drink** coffee. 우리는 커피를 마시지 않는다.
- The girls learn English. 그 소녀들은 영어를 배운다.
  → The girls **don't learn** English. 그 소녀들은 영어를 배우지 않는다.

TIPS 동사원형이란 동사 원래의 모양을 말하는 것으로 동사에 -s나 -es를 붙이지 않습니다.
plays, watches, has의 동사원형은 play, watch, have입니다.

3 주어가 He / She / It / 단수명사 등일 때는 doesn't를 사용합니다.

He / She / It	**doesn't +** 동사원형 ~ .
단수명사 **(The girl)**	

- He drinks coffee. 그는 커피를 마신다.
  → He **doesn't drink** coffee. 그는 커피를 마시지 않는다.
- The girl has a cat. 그 소녀는 고양이가 있다.
  → The girl **doesn't have** a cat. 그 소녀는 고양이가 없다.

TIPS He / She / It을 3인칭 단수라고 합니다. 단수는 '한 명', '한 개'를 의미하며, 3인칭 단수란 I(나), We(우리)와 You(너/너희)를 제외한 사람이나 사물 한 명이나 한 개를 의미합니다.

1 다음 우리말과 같도록 괄호 안에서 알맞은 것을 고르세요.

01 I (don't / doesn't) have a camera.
나는 카메라가 없다.

02 They (don't / doesn't) learn English.
그들은 영어를 배우지 않는다.

03 He (don't / doesn't) have a bike.
그는 자전거가 없다.

04 Cathy (don't / doesn't) play soccer.
캐시는 축구를 하지 않는다.

05 It (don't / doesn't) have a tail.
그것은 꼬리가 없다.

06 My friends (don't / doesn't) like vegetables.
내 친구들은 야채를 좋아하지 않는다.

07 We (don't / doesn't) drink coffee.
우리는 커피를 마시지 않는다.

08 My cat (don't / doesn't) like balls.
내 고양이는 공을 좋아하지 않는다.

09 John (don't / doesn't) go to school.
존은 학교에 가지 않는다.

10 They (don't / doesn't) watch TV.
그들은 TV를 보지 않는다

Words
· **camera** 카메라 · **learn** 배우다 · **bike** 자전거 · **soccer** 축구 · **tail** 꼬리 · **vegetable** 야채
· **coffee** 커피 · **ball** 공

Check Up 배운 내용 응용하기

1 다음 우리말과 같도록 don't나 doesn't를 쓰세요.

01 I ___don't___ like apples. 나는 사과들을 좋아하지 않는다.

02 She ______________ like pizza. 그녀는 피자를 좋아하지 않는다.

03 Alice ______________ drink milk. 앨리스는 우유를 마시지 않는다.

04 We ______________ have a computer. 우리는 컴퓨터를 가지고 있지 않다.

05 He ______________ wash the dishes. 그는 설거지를 하지 않는다.

06 They ______________ eat rice. 그들은 쌀을 먹지 않는다.

07 Mary ______________ walk to school. 메리는 학교에 걸어서 가지 않는다.

08 The boys ______________ learn English. 그 소년들은 영어를 배우지 않는다.

09 They ______________ work at a bank. 그들은 은행에서 일하지 않는다.

10 It ______________ like bananas. 그것은 바나나를 좋아하지 않는다.

Words
- **milk** 우유 · **computer** 컴퓨터 · **wash the dishes** 설거지하다 · **rice** 쌀, 밥 · **learn** 배우다
- **work** 일하다 · **bank** 은행 · **banana** 바나나

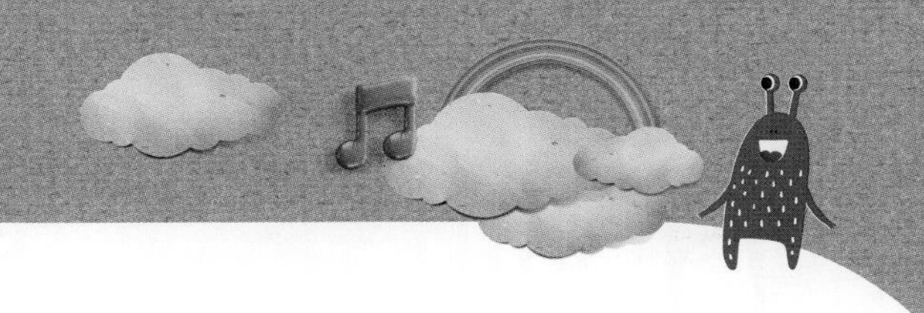

2 다음 우리말과 같도록 주어진 단어를 이용하여 문장을 완성하세요.

01 그들은 초콜릿을 좋아하지 않는다. (like)

They ___don't like___ chocolate.

02 그녀는 매일 피아노를 연주하지 않는다. (play)

She ______________________ the piano every day.

03 그 소년은 배낭이 없다. (have)

The boy ______________________ a backpack.

04 그는 방과 후 숙제를 하지 않는다. (do)

He ______________________ his homework after school.

05 그 소녀들은 서울에 살지 않는다. (live)

The girls ______________________ in Seoul.

06 메리는 컴퓨터를 사용하지 않는다. (use)

Mary ______________________ a computer.

Words
· **chocolate** 초콜릿 · **piano** 피아노 · **backpack** 배낭 · **use** 사용하다

UNIT 02 일반동사 의문문

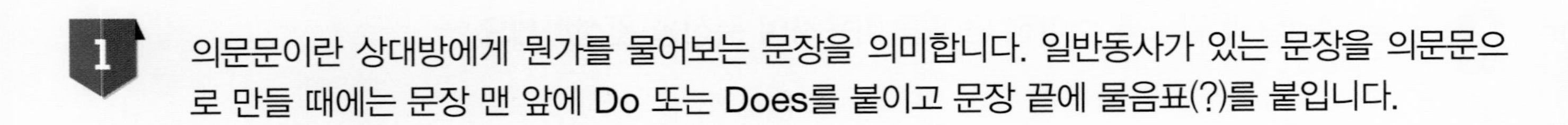

1 의문문이란 상대방에게 뭔가를 물어보는 문장을 의미합니다. 일반동사가 있는 문장을 의문문으로 만들 때에는 문장 맨 앞에 Do 또는 Does를 붙이고 문장 끝에 물음표(?)를 붙입니다.

2 주어가 I / You / We / They / 복수명사 등일 때는 Do를 붙입니다.

Do	**I / you / we / they**	+ 동사원형 ~ ?
	복수명사 **(the boys)**	

- You like apples. 너는 사과를 좋아한다.
  → **Do** you **like** apples? 너는 사과를 좋아하니?
- They learn English. 그들은 영어를 배운다.
  → **Do** they **learn** English? 그들은 영어를 배우니?

3 주어가 He / She / It / 단수명사 등일 때는 Does를 붙입니다.

Does	**he / she / it**	+ 동사원형 ~ ?
	단수명사 **(the boy)**	

- He has a computer. 그는 컴퓨터가 있다.
  → **Does** he **have** a computer? 그는 컴퓨터가 있니? *has의 동사원형은 have입니다
- Mary likes pizza. 메리는 피자를 좋아한다.
  → **Does** Mary **like** pizza? 메리는 피자를 좋아하니?

4 의문문에 대한 대답은 긍정이면 Yes에 do나 does, 부정이면 No에 don't나 doesn't를 사용합니다.

TIPS Do로 시작하면 대답도 do나 don't를 사용하고, Does로 시작하면 does나 doesn't를 사용합니다.

Do you like apples? 너는 사과를 좋아하니?	Yes, I **do**. / No, I **don't**.
Does he/she like apples? 그/그녀는 사과를 좋아하니?	Yes, he[she] **does**. / No, he[she] **doesn't**.
Do they like apples? 그(것)들은 사과를 좋아하니?	Yes, they **do**. / No, they **don't**.

Warm Up 배운 내용 확인하기

1 다음 우리말과 같도록 괄호 안에서 알맞은 것을 고르세요.

01 (Do / Does) you like vegetables?
너는 야채를 좋아하니?

02 Does he (has / have) a coat?
그는 코트가 있니?

03 (Do / Does) they get up early?
그들은 일찍 일어나니?

04 (Do / Does) the boys wear school uniforms?
그 소년들은 교복을 입니?

05 (Do / Does) they go to school every day?
그들은 매일 학교에 가니?

06 Does Mary (has / have) a bike?
메리는 자전거가 있니?

07 (Do / Does) the dog run fast?
그 개는 빨리 달리니?

08 Does the girl (speaks / speak) Korean?
그 소녀는 한국말을 하니?

09 (Do / Does) she like Korean food?
그녀는 한국 음식을 좋아하니?

10 (Do / Does) it like carrots?
그것은 당근을 좋아하니?

· **vegetable** 야채 · **coat** 코트 · **early** 일찍 · **uniform** 제복, 유니폼 · **speak** 말하다
· **Korean** 한국말 · **food** 음식 · **carrot** 당근

1 다음 우리말과 같도록 Do나 Does를 쓰세요.

01 ___Do___ they speak English?
그들은 영어로 말하니?

02 ______ the boys play computer games?
그 소년들은 컴퓨터 게임을 하니?

03 ______ Kevin go swimming every day?
케빈은 매일 수영을 하러 가니?

04 ______ the girl write letters?
그 소녀는 편지를 쓰니?

05 ______ the dog have a short tail?
그 개는 짧은 꼬리를 가지고 있니?

06 ______ the girls go to the zoo?
그 소녀들은 동물원에 가니?

07 ______ you play soccer every day?
너는 매일 축구를 하니?

08 ______ she have younger sisters?
그녀는 여동생들이 있니?

Words
- **game** 게임, 경기 · **write** 쓰다 · **letter** 편지 · **short** 짧은 · **tail** 꼬리 · **zoo** 동물원
- **every day** 매일 · **younger** 더 어린 · **sister** 자매, 누나, 여동생

2 다음 우리말과 같도록 알맞은 말을 쓰세요.

01 A : Does he like apples?
그는 사과를 좋아하니?

B : Yes, he does.
응, 그래.

02 A : ________ she drink tea in the morning?
그녀는 아침에 차를 마시니?

B : Yes, she ________.
응, 그래.

03 A : ________ the boy wear glasses?
그 소년은 안경을 쓰니?

B : ________, he does.
응, 그래.

04 A : ________ the horses run fast?
그 말들은 빨리 달리니?

B : Yes, they ________.
응, 그래.

05 A: ________ they play basketball after school?
그들은 방과 후 농구를 하니?

B: No, they ________.
아니, 그렇지 않아.

Words
· **morning** 아침 · **glasses** 안경 · **horse** 말 · **basketball** 농구 · **after school** 방과 후에

Level Up 배운 내용 점검하기

1 다음 문장을 부정문으로 바꿔 쓰세요.

01 Tom likes carrots.

→ Tom doesn't like carrots.

02 She needs a new computer.

→ She ________________ a new computer.

03 The dog has a long tail.

→ The dog ________________ a long tail.

04 I study math.

→ I ________________ math.

05 We get up early.

→ We ________________ early.

06 Kevin has comic books.

→ Kevin ________________ comic books.

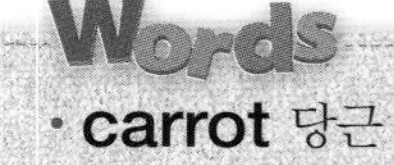

· **carrot** 당근 · **computer** 컴퓨터 · **math** 수학 · **early** 일찍 · **comic book** 만화책

2 다음 문장을 의문문으로 바꿔 쓰세요.

01 They like cheese.

→ Do they like ______ cheese?

02 She eats fresh fruit.

→ ______ fresh fruit?

03 He rides a bike.

→ ______ a bike?

04 Tom visits the museum every day.

→ ______ the museum every day?

05 She has dinner at 7 o'clock.

→ ______ dinner at 7 o'clock?

06 The girl has a new computer.

→ ______ a new computer?

· **cheese** 치즈 · **fresh** 신선한 · **fruit** 과일 · **museum** 박물관 · **dinner** 저녁식사

[1-2] 다음 중 우리말과 같도록 빈칸에 들어갈 알맞은 것을 고르세요.

1

그들은 축구를 하지 않는다.
They ________ play soccer.

① don't ② isn't ③ aren't
④ doesn't ⑤ does

1
주어가 3인칭 단수인지 아닌지 알아 봅니다.
• **soccer** 축구

2

마이크는 피자를 좋아하지 않는다.
Mike ________ like pizza.

① don't ② isn't ③ aren't
④ doesn't ⑤ does

2
Mike는 3인칭 단수입니다.

[3-4] 다음 중 대화의 빈칸에 들어갈 알맞은 것을 고르세요.

3

A: Do you like fish?
B: Yes, ________________.

① I do ② we does ③ he does
④ they do ⑤ you do

3
Do로 질문하면 do나 don't로 대답합니다.
• **fish** 생선

4

A: Do the boys play computer games?
B: No, ________________.

① I don't ② we don't ③ he doesn't
④ they don't ⑤ you don't

4
the boys는 3인칭 복수이므로 they를 사용합니다.

5 다음 중 빈칸에 들어갈 말이 **다른** 것을 고르세요.

① ________ she read books?

② ________ you have a computer?

③ ________ he wear glasses?

④ ________ it like carrots?

⑤ ________ Mike like pizza?

6 다음 문장을 부정문으로 바꿔 쓰세요. (부정형은 축약형으로 쓰세요.)

(1) We drink milk in the morning.

____

(2) They go to school.

____

(3) He has a watch.

____

7 다음 그림을 보고 대화의 빈칸에 들어갈 알맞은 대답을 쓰세요.

(1) 

A: Does she watch TV?

B: Yes, ________________.

(2) 

A: Does he go fishing?

B: No, ________________.

(3) 

A: Do they eat rice?

B: No, ________________.

5
3인칭 단수 앞에는 Does를 사용합니다.
- **glasses** 안경

6
- **morning** 아침
- **watch** (손목)시계

7
- **go fishing** 낚시하러 가다
- **rice** 쌀, 밥

Words Check

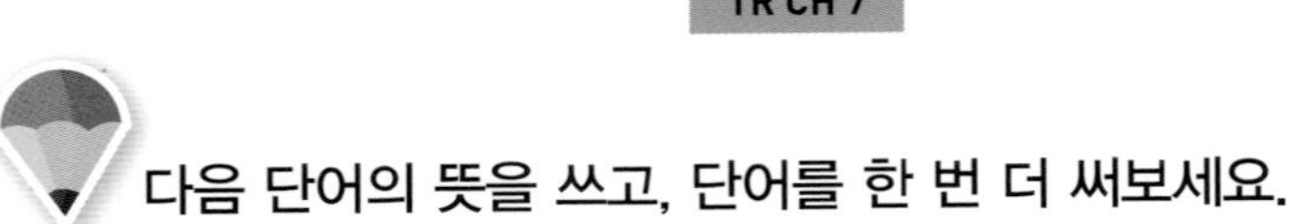

No.	Word	Meaning	Write
01	ball	공	ball
02	bank		
03	basketball		
04	carrot		
05	cheese		
06	dinner		
07	fresh		
08	fruit		
09	glasses		
10	homework		
11	learn		
12	math		
13	morning		
14	museum		
15	soccer		
16	speak		
17	uniform		
18	vegetable		
19	younger		
20	zoo		

CHAPTER 8

my me / your you his him / her her

UNIT 01 소유를 나타내는 표현

UNIT 02 동사의 직접적인 대상

UNIT 01 소유를 나타내는 표현

my, your, his, her 등은 명사 앞에 와서 명사의 소유 관계를 나타낼 때 사용합니다.
주로 '~의'라는 의미를 가지고 있으며, 소유격이라고 부릅니다.

my 나의		your 너의	
my cat 나의 고양이	my bike 나의 자전거	your book 너의 책	your computer 너의 컴퓨터

TIPS your는 2명 이상을 나타내어 '너희들의'란 의미로도 사용할 수 있습니다.

his 그의		her 그녀의	
his pencil 그의 연필	his cookies 그의 쿠키들	her bag 그녀의 가방	her dog 그녀의 개

our 우리의		their 그들의	
our school 우리의 학교	our books 우리의 책들	their house 그들의 집	their books 그들의 책들

TIPS it의 소유격은 its입니다.
예 its teeth 그것의 이빨 / its tail 그것의 꼬리

배운 내용 확인하기

1 다음 우리말과 같도록 괄호 안에서 알맞은 것을 고르세요.

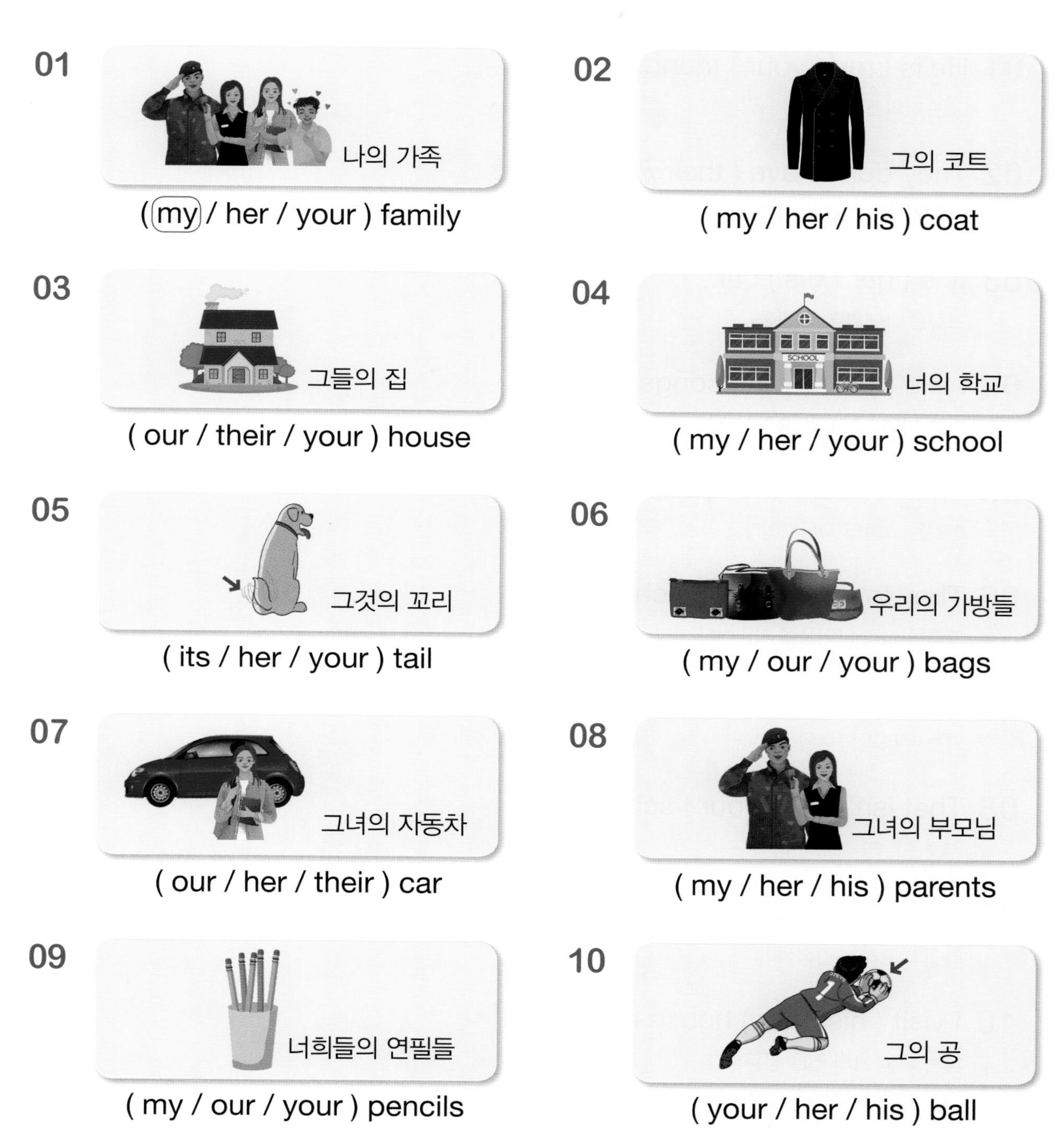

01 나의 가족

(my / her / your) family

02 그의 코트

(my / her / his) coat

03 그들의 집

(our / their / your) house

04 너의 학교

(my / her / your) school

05 그것의 꼬리

(its / her / your) tail

06 우리의 가방들

(my / our / your) bags

07 그녀의 자동차

(our / her / their) car

08 그녀의 부모님

(my / her / his) parents

09 너희들의 연필들

(my / our / your) pencils

10 그의 공

(your / her / his) ball

Words

· **family** 가족 · **coat** 코트 · **house** 집 · **bag** 가방 · **parents** 부모

Check Up 배운 내용 응용하기

1 다음 우리말과 같도록 괄호 안에서 알맞은 것을 고르세요.

01 He is (my / your) friend.
그는 나의 친구다.

02 They don't have (their / his) books.
그들은 그의 책들을 가지고 있지 않다.

03 It is (her / his) car.
그것은 그녀의 자동차다.

04 I like (your / our) songs.
나는 너의 노래들을 좋아한다.

05 This is (our / their) car.
이것은 그들의 자동차이다.

06 They love (his / him) children.
그들은 그의 아이들을 사랑한다.

07 He takes care of (their / our) dogs.
그는 우리의 개들을 돌본다.

08 That isn't (my / our) school.
저것은 우리 학교가 아니다.

09 (Its / It) tail is black.
그것의 꼬리는 검정색이다.

10 I visit (his / her) house every day.
나는 매일 그의 집을 방문한다.

Words
- **friend** 친구 · **song** 노래 · **love** 사랑하다 · **children** 아이들 · **care** 돌봄
- **take care of** ~을 돌보다 · **visit** 방문하다

2 다음 우리말과 같도록 알맞은 말을 쓰세요.

01 I love ____my____ family.
나는 나의 가족을 사랑한다.

02 ________ teacher is very kind.
우리의 선생님은 매우 친절하다.

03 It isn't ________ cat.
그것은 그들의 고양이가 아니다.

04 She brushes ________ teeth in the morning.
그녀는 아침에 그녀의 이를 닦는다.

05 ________ parents love me.
나의 부모님은 나를 사랑한다.

06 They like ________ hairstyle.
그들은 그의 머리 모양을 좋아한다.

07 Mom washes ________ hands.
엄마가 그녀의 손을 닦는다.

08 Those aren't ________ bags.
저것들은 우리의 가방들이 아니다.

- **brush** 닦다, 솔질하다 · **tooth** 이(치아) · **in the morning** 아침에 · **parents** 부모
- **hairstyle** 머리 모양 · **wash** 닦다, 씻다

UNIT 02 동사의 직접적인 대상

영어 문장에는 주어, 동사, 그리고 목적어가 존재합니다. 목적어란 문장에서 '무엇을' 또는 '누구를'에 해당하는 부분입니다. 이러한 목적어는 주로 일반동사 바로 뒤에 위치합니다.

2 me / you / him / her / it

me 나를	He loves **me**. 그는 나를 사랑한다. She doesn't like **me**. 그녀는 나를 좋아하지 않는다.
you 너를	I love **you**. 나는 너를 사랑한다. He doesn't help **you**. 그는 너를 도와주지 않는다.
him 그를	I like **him**. 나는 그를 좋아한다. We don't meet **him**. 우리는 그를 만나지 않는다.
her 그녀를	He loves **her**. 그는 그녀를 사랑한다. They meet **her** every day. 그들은 그녀를 매일 만난다.
it 그것을	I like **it**. 나는 그것을 좋아한다. We don't want **it**. 우리는 그것을 원하지 않는다.

3 us / you / them

us 우리를	He visits **us** every day. 그는 우리를 매일 방문한다. Please help **us**. 우리를 도와주세요.
you 너희들을	I love **you**. 나는 너희들을 사랑한다. He doesn't help **you**. 그는 너희들을 도와주지 않는다.
them 그들을/그것들을	I like **them**. 나는 그들을 좋아한다. We don't meet **them**. 우리는 그들을 만나지 않는다.

배운 내용 확인하기

1 다음 표의 빈칸을 채우세요.

I 나는	my 나의	me 나를
you 너는	your ________	________ 너를
he 그는	________ 그의	________ 그를
she 그녀는	her ________	________ 그녀를
it 그것은	its ________	________ 그것을

we 우리는	________ 우리의	________ 우리를
they 그들은	their ________	________ 그들을
you 너희들은	________ 너희들의	________ 너희들을

· **me** 나를 · **its** 그것의 · **our** 우리의 · **us** 우리를

Check Up 배운 내용 응용하기

1 다음 우리말과 같도록 괄호 안에서 알맞은 것을 고르세요.

01 Jim visits (us / our) every day.
짐은 매일 우리를 방문한다.

02 Jake helps (me / us).
제이크는 나를 도와준다.

03 It is (my / me) camera.
그것은 나의 카메라다.

04 They don't have (it / them).
그들은 그것을 가지고 있지 않다.

05 I love (them / us).
나는 그들을 사랑한다.

06 We don't need (him / them).
우리는 그것들이 필요하지 않다.

07 I meet (her / him) in the afternoon.
나는 오후에 그녀를 만난다.

08 This isn't (my / his) pencil.
이것은 그의 연필이 아니다.

09 They invite (me / us) to the party.
그들은 우리를 파티에 초대한다.

10 He loves (me / us).
그는 나를 사랑한다.

Words
· **visit** 방문하다 · **help** 돕다 · **camera** 카메라 · **love** 사랑하다 · **need** 필요하다
· **in the afternoon** 오후에 · **invite** 초대하다 · **party** 파티

2 다음 우리말과 같도록 알맞은 말을 쓰세요.

01 I like ____it____.
나는 그것을 좋아한다.

02 She invites ________ to the party.
그녀는 그들을 파티에 초대한다.

03 James buys ________ at a convenience store.
제임스는 그것들을 편의점에서 산다.

04 They meet ________ every day.
그들은 그녀를 매일 만난다.

05 They don't help ________.
그들은 우리를 도와주지 않는다.

06 Mike loves ________ sister.
마이크는 그의 여동생을 사랑한다.

07 He misses ________ so much.
그는 그녀를 무척 그리워한다 .

08 She doesn't meet ________. She meets ________.
그녀는 나를 만나지 않는다. 그녀는 그를 만난다.

Words

· **invite** 초대하다 · **party** 파티 · **buy** 사다 · **convenience store** 편의점 · **meet** 만나다
· **every day** 매일 · **miss** 그리워하다 · **so much** 무척

Level Up 배운 내용 점검하기

1 다음 우리말과 같도록 밑줄 친 부분을 바르게 고쳐 쓰세요.

01 My sister walks me dog. — my
내 언니는 나의 개를 산책시킨다.

02 You parents are very kind.
너의 부모님은 매우 친절하다.

03 It isn't their dog.
그것은 그의 개가 아니다.

04 He brushes her teeth in the morning.
그는 아침에 그의 이를 닦는다.

05 Our parents love our.
우리 부모님은 우리를 사랑한다.

06 They love them daughters.
그들은 그들의 딸들을 사랑한다.

07 His uncle works at a bank.
그들의 삼촌은 은행에서 일한다.

08 Jane doesn't want it.
제인은 그것들을 원하지 않는다.

09 That is us house.
저것은 우리의 집이다.

10 They don't visit her.
그들은 그를 방문하지 않는다.

Words

- **walk** 걷다, 산책시키다
- **parents** 부모
- **brush** 닦다, 솔질하다
- **in the morning** 아침에
- **daughter** 딸
- **uncle** 삼촌
- **work** 일하다
- **bank** 은행
- **visit** 방문하다

2 다음 주어진 단어를 이용하여 우리말과 같도록 영어를 쓰세요.

01 제시와 톰은 나의 사촌들이다. (are / cousins / my)

→ Jessie and Tom are my cousins.

02 우리는 그녀를 만나지 않는다. (her / meet / don't)

→ We ______________________.

03 나는 그것을 매일 읽는다. (read / it)

→ I ______________________ every day.

04 그들은 그들의 부모님을 사랑한다. (love / parents / their)

→ They ______________________.

05 우리는 매일 그녀의 가게를 방문한다. (visit / store / her)

→ We ______________________ every day.

06 나의 친구들은 그들을 도와주지 않는다. (help / them / don't)

→ My friends ______________________.

Words

- **cousin** 사촌
- **meet** 만나다
- **every day** 매일
- **store** 가게
- **help** 돕다

[1-2] 다음 중 의미가 **잘못된** 것을 고르세요.

1

① your - 너의　② her - 그녀의
③ their - 그들의　④ his - 그를
⑤ our - 우리의

2

① you - 너를　② me - 나를
③ it - 그들을　④ him - 그를
⑤ her - 그녀를

3 다음 중 빈칸에 올 수 **없는** 것을 고르세요.

I like ______________ dogs.

① my　② her　③ his
④ them　⑤ their

3
빈칸에는 dogs를 수식하는 소유의 의미를 나타내는 표현이 와야 합니다.

4 다음 중 우리말과 일치하는 영어를 고르세요.

그는 그의 부모님을 사랑한다.

① He loves him parents.
② He loves his parents.
③ He loves its parents.
④ He loves their parents.
⑤ He loves our parents.

4
he - his - him
she - her - her
you - your - you
● **parents** 부모

5 다음 중 밑줄 친 부분이 **잘못된** 것을 고르세요.

① I love her.

② It isn't my book.

③ He likes them.

④ Tom meets their every day.

⑤ She eats my cookies.

6 다음 중 우리말과 같도록 빈칸에 들어갈 말이 바르게 짝지어진 것을 고르세요.

> 그것들은 그의 책들이 아니다. 그것들은 그들의 책들이다.
> They aren't __________ books.
> They are __________ books.

① you – your ② your – their

③ its – your ④ his – their

⑤ their – them

7 다음 우리말과 같도록 알맞은 말을 쓰세요.

(1) __________ teacher is very tall.

우리의 선생님은 매우 키가 크다.

(2) I love __________ very much.

나는 그를 아주 많이 사랑한다.

(3) Jane and Kevin are my classmates.

I love __________.

제인과 케빈은 같은 반 친구들이다. 나는 그들을 사랑한다.

5
소유격은 혼자서 목적어 자리에 올 수 없습니다.

7
our - us
his - him
their - them
her - her

Words Check

다음 단어의 뜻을 쓰고, 단어를 한 번 더 써보세요.

No.	Word	Meaning	Write	No.	Word	Meaning	Write
01	afternoon	오후	afternoon	11	miss		
02	care			12	much		
03	children			13	need		
04	cousin			14	parents		
05	daughter			15	party		
06	family			16	store		
07	help			17	style		
08	house			18	tooth		
09	invite			19	uncle		
10	meet			20	visit		

Longman

WORKBOOK

Pearson

WORKBOOK

CHAPTER 1

1 다음 명사의 의미를 쓰세요. (단어도 반복해서 쓰세요.)

	단어	쓰기	쓰기	뜻
01	teacher	teacher	teacher	선생님
02	doctor			
03	student			
04	ant			
05	zoo			
06	school			
07	watch			
08	chair			
09	zebra			
10	flower			
11	name			
12	egg			

Words

- **ant** 개미 · **zoo** 동물원 · **watch** (손목)시계 · **zebra** 얼룩말 · **flower** 꽃

2 다음 단어 앞에 a 또는 an을 쓰고, 단어 뒤에 명사의 뜻을 쓰세요.

01 a box → 상자

02 ____ student → ________

03 ____ piano → ________

04 ____ chair → ________

05 ____ table → ________

06 ____ watch → ________

07 ____ fox → ________

08 ____ onion → ________

09 ____ friend → ________

10 ____ cup → ________

11 ____ flower → ________

12 ____ artist → ________

Words

· **fox** 여우 · **onion** 양파 · **friend** 친구 · **artist** 화가, 예술가

CHAPTER 1

1 다음 단어의 복수형과 복수형 의미를 쓰세요. (단어도 반복해서 쓰세요.)

	명사	복수형	복수형	의미
01	girl	girls	girls	소녀들
02	bus			
03	shoe			
04	brush			
05	book			
06	table			
07	bench			
08	church			
09	monkey			
10	cup			
11	fox			
12	shirt			

Words

- shoe 신발 · brush 솔 · bench 의자 · church 교회 · monkey 원숭이 · shirt 셔츠

2 다음 밑줄 친 부분을 바르게 고쳐 쓰세요. (고칠 필요가 없는 것은 그대로 쓰세요.)

01 I have three apple. → apples
나는 사과가 3개 있다.

02 I have a pencil. →
나는 연필이 한 자루 있다.

03 I have five watch. →
나는 손목시계 5개를 가지고 있다.

04 I have two dog. →
나는 개가 2마리 있다.

05 I have two brush. →
나는 솔이 2개 있다.

06 I have three box. →
나는 상자가 3개 있다.

07 I have six ball. →
나는 공이 6개 있다.

08 I have three bike. →
나는 자전거가 3대 있다.

09 I have a rabbit. →
나는 토끼가 한 마리 있다.

10 I have an orange. →
나는 오렌지가 한 개 있다.

Words

- **have** 가지다, 있다
- **brush** 솔
- **ball** 공
- **rabbit** 토끼
- **orange** 오렌지

CHAPTER 2

1 다음 형용사의 의미를 쓰세요. (단어도 반복해서 쓰세요.)

	단어	쓰기	쓰기	뜻
01	big	big	big	큰
02	long			
03	small			
04	new			
05	old			
06	clean			
07	short			
08	hot			
09	cold			
10	sad			
11	happy			
12	dirty			

Words

- **small** 작은
- **clean** 깨끗한
- **hot** 뜨거운
- **sad** 슬픈
- **happy** 행복한
- **dirty** 더러운

2 다음 형용사의 반대말을 고르고, 그 뜻을 쓰세요.

01 big 큰 → small / clean ____작은____

02 new 새로운 → old / sad ________

03 long 긴 → dirty / short ________

04 hot 더운 → cold / tall ________

05 short 키가 작은 → slow / tall ________

06 fast 빠른 → slow / happy ________

07 happy 행복한 → slow / sad ________

3 다음 그림과 단어를 연결 하세요.

01 

02 

03 

Ⓐ fast　　Ⓑ tall　　Ⓒ long

Words

- big 큰
- long 긴
- tall 키가 큰
- slow 느린
- sad 슬픈

CHAPTER 2

1

다음 영어를 우리말로 쓰세요.

01 a yellow bus → 노란 버스

02 a red door →

03 a small dog →

04 a dirty towel →

05 a sad boy →

06 a long bridge →

07 a happy girl →

08 a clean towel →

09 an old bag →

10 a new car →

11 a slow bus →

12 a big house →

Words

- **door** 문
- **small** 작은
- **towel** 수건
- **bridge** 다리
- **clean** 깨끗한
- **bag** 가방
- **slow** 느린
- **house** 집

2 다음 주어진 단어를 바르게 정렬하고, 그 뜻을 쓰세요.

01 (a / boy / happy) → a happy boy ______ 행복한 소년 ______

02 (bicycle / a / big) → ______ ______

03 (small / a / house) → ______ ______

04 (a / car / new) → ______ ______

05 (pink / tables) → ______ ______

06 (yellow / a / taxi) → ______ ______

07 (a / clean / room) → ______ ______

08 (movies / sad) → ______ ______

09 (green / a / box) → ______ ______

10 (a / towel / red) → ______ ______

11 (a / long / tail) → ______ ______

12 (black / coat / a) → ______ ______

Words

- **happy** 행복한
- **bicycle** 자전거
- **house** 집
- **pink** 분홍(색)의
- **taxi** 택시
- **room** 방
- **movie** 영화
- **green** 초록(색)의
- **tail** 꼬리
- **coat** 코트

CHAPTER 3

1 다음 괄호 안에서 알맞은 대명사나 be동사를 고르세요.

01 나는 선생님이다. → I (is / am / are) a teacher.

02 너는 치과의사다. → (It / You / They) are a dentist.

03 우리는 행복하다. → We (am / is / are) happy.

04 너희들은 경찰관들이다. → You (am / is / are) police officers.

05 나는 목이 마르다. → (I / She / He) am thirsty.

06 너는 가수이다. → (We / You / I) are a singer.

07 너희들은 의사들이다. → (I / You / We) are doctors.

2 다음 밑줄 친 부분을 대신 할 수 있는 것을 고르세요.

01 You and I are students. 너와 나는 학생들이다.

→ (You / We) are students. 우리들은 학생들이다.

02 You and Jane are doctors. 너와 제인은 의사들이다.

→ (You / We) are doctors. 너희들은 의사들이다.

03 Kevin and Susan are happy. 케빈과 수잔은 행복하다.

→ (You / They) are happy. 그들은 행복하다.

Words

· **detist** 치과의사 · **police officer** 경찰관 · **thirsty** 목마른 · **singer** 가수

3 다음 빈칸에 알맞은 대명사나 be동사를 쓰세요.

01 우리는 학생들이다. → We are students.

02 너는 가수다. → ________ are a singer.

03 나는 배가 고프다. → I ________ hungry.

04 너희들은 배우들이다. → You ________ actors.

05 우리는 가수들이다. → We ________ singers.

06 너는 키가 크다. → ________ are tall.

07 나는 피곤하다. → ________ am tired.

08 우리는 무용수들이다. → ________ are dancers.

09 너는 아름답다. → You ________ beautiful.

10 우리는 행복하다. → We ________ happy.

Words

- **hungry** 배고픈 · **actor** 배우 · **singer** 가수 · **tired** 피곤한 · **dancer** 무용수
- **beautiful** 아름다운

CHAPTER 3

1 다음 괄호 안에서 알맞은 대명사나 be동사를 고르세요.

01 그녀는 선생님이다. → She (is / am / are) a teacher.

02 그는 치과의사다. → (He / She / It) is a dentist.

03 그들은 행복하다. → They (am / is / are) happy.

04 그것은 여우이다. → It (am / is / are) a fox.

05 그들은 배가 고프다. → (They / She / He) are hungry.

2 다음 밑줄 친 부분을 우리말로 쓰세요.

01 They are students.

→ 그들은 학생들이다.

02 He is sleepy.

→ ______ 졸리다.

03 She is tired.

→ ______ 피곤하다.

04 It is a cat.

→ ______ 고양이다.

05 They are oranges.

→ ______ 오렌지들이다.

Words

- **detist** 치과의사
- **hungry** 배고픈
- **sleepy** 졸린
- **tired** 피곤한
- **orange** 오렌지

3 다음 괄호 안에서 알맞은 것을 고르세요.

01 The flowers are beautiful.

→ (They / We) are beautiful.

02 The table is square.

→ (It / He) is square.

03 The students are hungry.

→ (They / We) are hungry.

04 Kevin is happy.

→ (They / He) is happy.

05 Tom and Ted are movie actors.

→ (They / We) are movie actors.

06 The benches are yellow.

→ (They / We) are yellow.

07 Alice is a nurse.

→ (It / She) is a nurse.

4 다음 영어를 우리말로 쓰세요.

01 It is an apple. → 그것은 사과다 .

02 They are trees. → ______________ .

03 He is a singer. → ______________ .

Words
· **beautiful** 아름다운 · **square** 정사각형의 · **movie actor** 영화배우 · **nurse** 간호사

CHAPTER 4

1

다음 문장을 부정문으로 바꿔 쓰세요. (축약형을 쓰지 마세요.)

01 They are zebras.

→ They are not zebras.

02 The boy is tired.

→ ______________________

03 It is an orange.

→ ______________________

04 It is a new chair.

→ ______________________

05 The water is cold.

→ ______________________

06 The girls are in the classroom.

→ ______________________

07 They are fresh vegetables.

→ ______________________

08 The movie is boring.

→ ______________________

09 The lions are at the zoo.

→ ______________________

10 You are dentists.

→ ______________________

Words

- **zebra** 얼룩말
- **tired** 피곤한
- **vegetable** 채소
- **boring** 지루한
- **zoo** 동물원

2 다음 우리말과 같도록 주어진 단어를 알맞게 쓰세요.

01 그는 예술가가 아니다. (isn't / an / artist)
→ He ___isn't an artist___.

02 그녀는 의사가 아니다. (isn't / doctor / a)
→ She ______________.

03 우리는 행복하지 않다. (happy / aren't)
→ We ______________.

04 너는 피곤하지 않다. (aren't / tired)
→ You ______________.

05 그들은 학생들이 아니다. (students / aren't)
→ They ______________.

06 그것은 곰이 아니다. (a / isn't / bear)
→ It ______________.

07 그것은 컴퓨터가 아니다. (a / computer / isn't)
→ It ______________.

08 그녀는 유명한 가수가 아니다. (isn't / famous singer / a)
→ She ______________.

09 그것들은 당근들이 아니다. (aren't / carrots)
→ They ______________.

10 그는 훌륭한 학생이 아니다. (a / isn't / good / student)
→ He ______________.

Words
· **artist** 예술가 · **tired** 피곤한 · **bear** 곰 · **famous** 유명한 · **carrot** 당근

CHAPTER 4

1 다음 문장을 의문문으로 바꿔 쓰세요.

01 She is a dentist. 그녀는 치과의사다.

→ Is she a dentist?

02 He is smart. 그는 영리하다.

→ ______________ smart?

03 They are penguins. 그것들은 펭귄들이다.

→ ______________ penguins?

04 It is hot. 그것은 뜨겁다.

→ ______________ hot?

05 He is a famous writer. 그는 유명한 작가이다.

→ ______________ a famous writer?

06 David is handsome. 데이비드는 잘생겼다.

→ ______________ handsome?

07 She is a good student. 그녀는 훌륭한 학생이다.

→ ______________ a good student?

08 It is a red bike. 그것은 빨간 자전거다.

→ ______________ a red bike?

09 They are new shoes. 그것들은 새 신발들이다.

→ ______________ new shoes?

10 You are scientists. 너희들은 과학자들이다.

→ ______________ scientists?

Words

- **dentist** 치과의사
- **smart** 영리한
- **penguin** 펭귄
- **writer** 작가
- **handsome** 잘생긴
- **shoe** 신발
- **scientist** 과학자

2 다음 대화의 빈칸에 들어갈 알맞은 대답을 쓰세요.

01 A: Is he in the classroom? 그는 교실에 있니?
B: Yes, ___he is___.

02 A: Is it a towel? 그것은 수건이니?
B: Yes, ______________.

03 A: Are they new cars? 그것들은 새 자동차들이니?
B: No, ______________.

04 A: Is she hungry? 그녀는 배가 고프니?
B: Yes, ______________.

05 A: Are they soccer players? 그들은 축구선수들이니?
B: No, ______________.

06 A: Am I stupid? 나는 어리석니?
B: No, ______________.

07 A: Are you tired? 너는 피곤하니?
B: No, ______________.

08 A: Are they doctors? 그들은 의사들이니?
B: Yes, ______________.

09 A: Is he a kind teacher? 그는 친절한 선생님이니?
B: No, ______________.

10 A: Are you sleepy? 너는 졸리니?
B: Yes, ______________.

Words
- **classroom** 교실
- **towel** 수건
- **soccer** 축구
- **player** 선수
- **stupid** 어리석은
- **kind** 친절한
- **sleepy** 졸린

CHAPTER 5

1 다음 그림을 보고 괄호 안에서 알맞은 것을 고르세요.

01

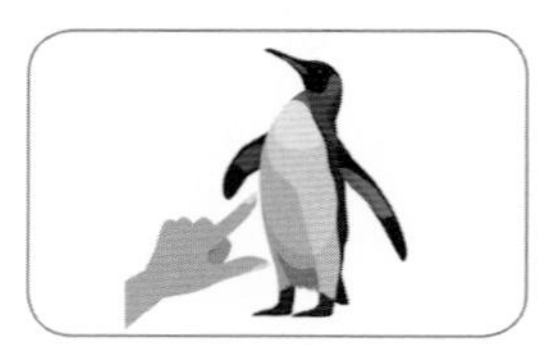

(This / That) is a penguin.

이것은 펭귄이다.

02

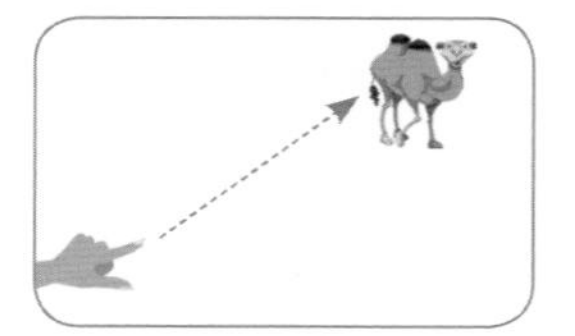

(This / That) isn't a horse.

저것은 말이 아니다.

03

(This / That) is a koala.

이것은 코알라다.

04

(This / That) is a lamp.

이것은 램프다.

05

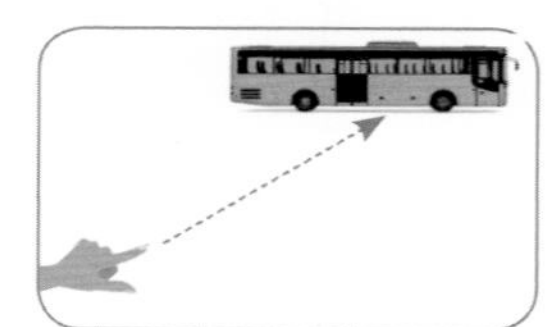

(This / That) isn't a train.

저것은 기차가 아니다.

06

(This / That) is a new shirt.

이것은 새 셔츠다.

07

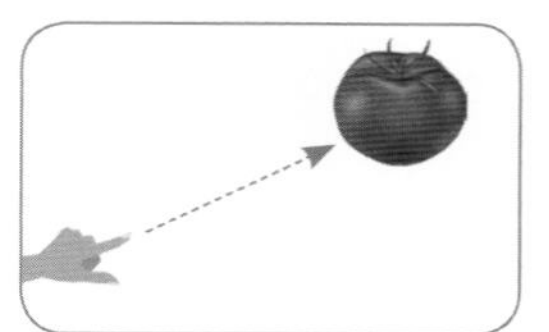

(This / That) isn't an onion.

저것은 양파가 아니다.

08

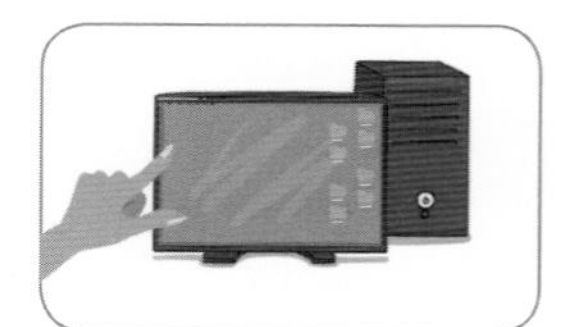

(This / That) is a computer.

이것은 컴퓨터다.

Words

· **penguin** 펭귄 · **horse** 말 · **koala** 코알라 · **lamp** 램프, 전등 · **onion** 양파

2 다음 그림을 보고 빈칸에 알맞은 말을 쓰세요.

01 ______This______ is a flower.
이것은 꽃이다.

02 That ______________ a camel.
저것은 낙타가 아니다.

03 ______________ is my house.
저것은 나의 집이다.

04 ______________ is a coin.
이것은 동전이다.

05 This ______________ a towel.
이것은 수건이 아니다.

06 ______________ is a ball.
저것은 공이다.

07 ______________ isn't a shark.
저것은 상어가 아니다.

08 ______________ is a bear.
이것은 곰이다.

Words
· **flower** 꽃 · **camel** 낙타 · **coin** 동전 · **towel** 수건 · **shark** 상어 · **bear** 곰

CHAPTER 5

1 다음 그림을 보고 빈칸에 알맞은 말을 쓰세요.

01
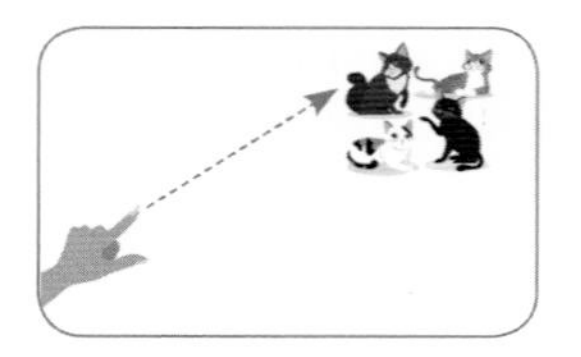
저것들은 고양이들이다.
Those are cats.

02

이것들은 개미들이다.
______ are ants.

03
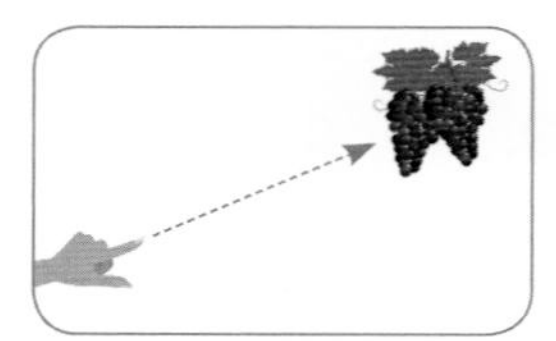
저것들은 포도들이다.
______ are grapes

04
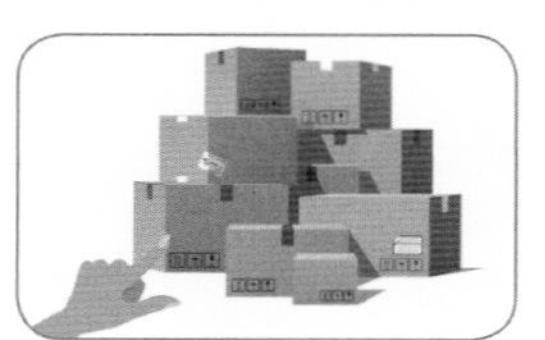
이것들은 연필들이 아니다.
______ ______ pencils.

05

이것들은 기타들이 아니다.
______ ______ guitars

06
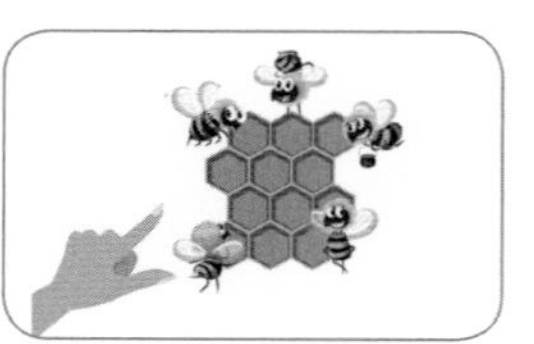
이것들은 벌들이다.
______ are bees.

07
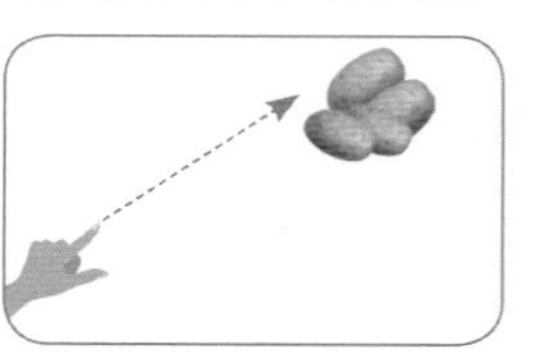
저것들은 감자들이다.
______ ______ potatoes.

08
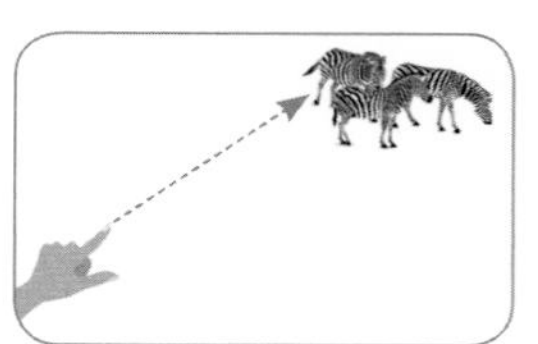
저것들은 여우들이 아니다.
______ ______ foxes.

Words
- ant 개미
- grape 포도
- guitar 기타
- potato 감자
- fox 여우

2 다음 우리말과 같도록 밑줄 친 부분을 바르게 고쳐 쓰세요.

01 This is an ant. → That
저것은 개미다.

02 Those are flowers. →
이것들은 꽃들이다.

03 That are potatoes. →
저것들은 감자들이다.

04 That is a lemon. →
이것은 레몬이다.

05 That aren't my car. →
저것은 나의 자동차가 아니다.

06 These isn't a notebook. →
이것은 공책이 아니다.

07 These are camels. →
저것들은 낙타들이다.

08 These is apples. →
이것들은 사과들이다.

09 Those isn't pencils. →
저것들은 연필들이 아니다.

10 These is a spider. →
저것은 거미다.

Words
· **ant** 개미 · **flower** 꽃 · **lemon** 레몬 · **notebook** 공책 · **camel** 낙타 · **spider** 거미

1 다음 동사의 의미를 쓰세요. (단어도 반복해서 쓰세요.)

	단어	쓰기	쓰기	뜻
01	walk	walk	walk	걷다
02	buy			
03	stay			
04	do			
05	watch			
06	visit			
07	want			
08	work			
09	learn			
10	study			
11	read			
12	teach			

Words
- **stay** 머무르다
- **visit** 방문하다
- **learn** 배우다
- **study** 공부하다
- **teach** 가르치다

2 다음 우리말과 같도록 괄호 안에서 알맞은 것을 고르세요.

01 I (cook / eat) dinner at 7 o'clock.
나는 7시에 저녁식사를 요리한다.

02 We (wash / buy) the dishes.
우리는 설거지를 한다.

03 They (study / go) to the park every day.
그들은 매일 공원에 간다.

04 They (play / like) baseball after school.
그들은 방과 후에 야구를 한다.

05 I (walk / come) to school.
나는 학교에 걸어간다.

06 We (sell / buy) vegetables at the market.
우리는 시장에서 야채를 산다.

07 We (stay / build) at the hotel.
우리는 호텔에서 머문다.

08 I (have / do) a puppy.
나는 강아지를 가지고 있다.

09 We (play / do) homework after school.
우리는 방과 후에 숙제를 한다.

10 We (make / drink) milk in the morning.
우리는 아침에 우유를 마신다.

Words
- **dinner** 저녁(식사)
- **wash the dishes** 설거지하다
- **park** 공원
- **every day** 매일
- **after school** 방과 후에
- **vegetable** 야채
- **market** 시장
- **puppy** 강아지

CHAPTER 6

1 다음 괄호 안에서 알맞은 것을 고르세요.

01 He (like / likes) Korean food.
그는 한국 음식을 좋아한다.

02 She (read / reads) a newspaper.
그녀는 신문을 읽는다.

03 He (walk / walks) to school.
그는 학교에 걸어간다.

04 Mary (play / plays) the guitar.
메리는 기타를 연주한다.

05 He (do / does) his homework after school.
그는 방과 후에 숙제를 한다.

06 We (sell / sells) fresh vegetables.
우리는 신선한 야채들을 판다.

07 She (write / writes) letters.
그녀는 편지를 쓴다.

08 The dog (catchs / catches) a ball.
그 개는 공을 잡는다.

09 It (has / have) sharp teeth.
그것은 날카로운 이빨들이 있다.

10 I (meet / meets) him every day.
나는 매일 그를 만난다.

- **food** 음식 · **newspaper** 신문 · **letter** 편지 · **sharp** 날카로운 · **every day** 매일

2 다음 밑줄 친 부분을 바르게 고쳐 쓰세요. (고칠 필요가 없는 것은 그대로 쓰세요.)

01 We reads books. → read
우리는 책을 읽는다.

02 He brush his teeth every day. →
그는 매일 양치를 한다.

03 The store open at 9 o'clock. →
그 상점은 9시에 연다.

04 He help poor people. →
그는 가난한 사람들을 도와준다.

05 Chris sing songs every day. →
크리스는 매일 노래를 부른다.

06 He watch a movie every day. →
그는 매일 영화를 본다.

07 We have dinner at 7 o'clock. →
우리는 7시에 저녁식사를 한다.

08 She fix the bike. →
그녀는 자전거를 고친다.

09 He teach English at a school. →
그는 학교에서 영어를 가르친다.

10 The baby sleeps on the sofa. →
그 아기는 소파에서 잠잔다.

Words
- **store** 상점
- **help** 도와주다
- **poor** 가난한
- **people** 사람들
- **fix** 고치다

CHAPTER 7

1 다음 우리말과 같도록 빈칸에 알맞은 말을 쓰세요.

01 They ___don't___ go to school today.
그들은 오늘 학교에 가지 않는다.

02 You ________________ drink coffee.
너는 커피를 마시지 않는다.

03 He ________________ play the flute.
그는 플루트를 연주하지 않는다.

04 Kevin ________________ go shopping.
케빈은 쇼핑하러 가지 않는다.

05 We ________________ drink milk.
우리는 우유를 마시지 않는다.

06 She ________________ wear pants.
그녀는 바지를 입지 않는다.

07 They ________________ study history.
그들은 역사 공부를 하지 않는다.

08 We ________________ know him well.
우리는 그를 잘 알지 못한다.

09 She ________________ read a newspaper.
그녀는 신문을 읽지 않는다.

10 He ________________ drive a bus.
그는 버스를 운전하지 않는다.

Words
- **drink** 마시다
- **flute** 플루트
- **pants** 바지
- **history** 역사
- **drive** 운전하다

2 다음 우리말과 같도록 보기의 단어를 이용하여 부정문을 완성하세요.

wash wear learn play have eat live go

01 He ___doesn't wash___ the dishes.
그는 설거지를 하지 않는다.

02 You ______________ in Korea.
너는 한국에 살지 않는다.

03 They ______________ vegetables.
그들은 야채를 먹지 않는다.

04 She ______________ glasses.
그녀는 안경을 쓰지 않는다.

05 We ______________ fishing.
우리는 낚시를 하러 가지 않는다.

06 It ______________ a tail.
그것은 꼬리가 없다.

07 They ______________ baseball.
그들은 야구를 하지 않는다.

08 He ______________ Chinese.
그는 중국어를 배우지 않는다.

Words
· **vegetable** 야채 · **glasses** 안경 · **tail** 꼬리 · **baseball** 야구 · **Chinese** 중국어

CHAPTER 7

1 다음 우리말과 같도록 빈칸에 알맞은 말을 쓰세요.

01 ____Do____ you like apples?
너는 사과를 좋아하니?

02 ________ they play computer games?
그들은 컴퓨터 게임을 하니?

03 ________ he go to school every day?
그는 매일 학교에 가니?

04 ________ she keep a diary?
그녀는 일기를 쓰니?

05 ________ it have a tail?
그것은 꼬리를 가지고 있니?

06 ________ he read a newspaper?
그는 신문을 읽니?

07 ________ she wear pants?
그녀는 바지를 입니?

08 ________ the students learn math?
그 학생들은 수학을 배우니?

09 ________ you clean your room every day?
너는 매일 방 청소를 하니?

10 ________ Mary have a bicycle?
메리는 자전거가 있니?

Words
· **computer** 컴퓨터 · **keep a diary** 일기를 쓰다 · **tail** 꼬리 · **newspaper** 신문
· **pants** 바지 · **math** 수학 · **every day** 매일

2 다음 빈칸에 알맞은 말을 쓰세요.

01 A: ___Does___ she like apples?
B: ___No___, she doesn't.

02 A: ________ he drink milk in the morning?
B: Yes, he ________.

03 A: ________ they play soccer?
B: No, they ________.

04 A: ________ it run fast?
B: Yes, it ________.

05 A: ________ she need water?
B: No, she ________.

06 A: ________ you live in Seoul?
B: No, I ________.

07 A: ________ the girls walk to school?
B: ________, they don't.

08 A: ________ he have a cap?
B: Yes, he ________.

Words
· in the morning 아침에 · play soccer 축구하다 · live 살다 · walk 걷다 · cap 야구모자

CHAPTER 8

1 다음 우리말과 같도록 괄호 안에서 알맞은 것을 고르세요.

01 Ted is (my / your) friend.
테드는 나의 친구다.

02 He is (my / his) brother.
그는 나의 오빠다.

03 They use (his / their) computer.
그들은 그의 컴퓨터를 사용한다.

04 That is (your / our) house.
저것은 우리의 집이다.

05 Susan brushes (his / her) teeth every day.
수잔은 매일 그녀의 이를 닦는다.

06 (Its / My) eyes are very big.
그것의 눈은 매우 크다.

07 We love (our / his) country.
우리는 우리의 나라를 사랑한다.

08 The brothers clean (his / their) room.
그 형제들은 그들의 방을 청소한다.

09 Tom stays at (your / his) home.
톰은 그의 집에 머문다.

10 We take care of (his / her) dog.
우리는 그녀의 개를 돌본다.

Words

- **friend** 친구
- **brother** 남자형제
- **brush** 닦다
- **teeth** 치아들(단수 tooth)
- **country** 나라
- **clean** 청소하다
- **stay** 머무르다
- **take care of** ~을 돌보다

2 다음 우리말과 같도록 빈칸에 알맞은 말을 쓰세요.

01 She washes ___her___ hands.
그녀는 그녀의 손을 닦는다.

02 These are __________ cookies.
이것들은 나의 쿠키들이다.

03 It's __________ computer.
그것은 너의 컴퓨터다.

04 __________ bag is on the desk.
너의 가방은 책상 위에 있다.

05 He invites us to __________ birthday party.
그는 우리를 그의 생일 파티에 초대한다.

06 I know __________ parents very well.
나는 그녀의 부모님을 매우 잘 안다.

07 She walks __________ dog every day.
그녀는 매일 그녀의 개를 산책시킨다.

08 They clean __________ rooms on Sunday.
그들은 일요일에 그들의 방들을 청소한다.

09 Susan is __________ aunt.
수잔은 나의 이모이다.

10 These are __________ balls.
이것들은 우리의 공들이다.

Words
- **wash** 닦다 · **cookie** 쿠키 · **bag** 가방 · **invite** 초대하다 · **birthday** 생일 · **party** 파티
- **parents** 부모 · **Sunday** 일요일 · **aunt** 이모, 고모

CHAPTER 8

1 다음 우리말과 같도록 괄호 안에서 알맞은 것을 고르세요.

01 My cat is very lovely. I love (it / you / them).
나의 고양이는 매우 사랑스럽다. 나는 그것을 사랑한다.

02 My parents love (her / him / them).
나의 부모님은 그를 사랑한다.

03 John and Tom are my cousins. I like (her / him / them).
존과 톰은 나의 사촌들이다. 나는 그들을 좋아한다.

04 We don't need (it / you / them).
우리는 그것이 필요 없다.

05 He help (it / him / them) every day.
그는 매일 그들을 돕는다.

06 I visit (it / you / them) on Sunday.
나는 일요일에 그들을 방문한다.

07 I have a uncle. I visit (him / you / them) on Saturday.
나는 삼촌이 있다. 나는 그를 토요일에 방문한다.

08 I love (her / you / them) so much.
나는 그녀를 무척 사랑한다.

09 He doesn't love (her / you / me).
그는 나를 사랑하지 않는다.

10 We miss (your / you / her).
우리는 너를 그리워한다.

Words
· **lovely** 사랑스러운 · **parents** 부모 · **cousin** 사촌 · **need** 필요하다 · **uncle** 삼촌
· **Saturday** 토요일 · **so much** 무척 · **miss** 그리워하다

2 다음 우리말과 같도록 빈칸에 알맞은 말을 쓰세요.

01 Tony is my friend. I like ___him___.
토니는 내 친구다. 나는 그를 좋아한다.

02 My sister is 5 years old. I love __________.
내 여동생은 5살이다. 나는 그녀를 사랑한다.

03 She meets __________ every day.
그녀는 너희들을 매일 만난다.

04 I have a computer. I use __________ every day.
나는 컴퓨터가 있다. 나는 매일 그것을 사용한다.

05 He doesn't help __________.
그는 나를 도와주지 않는다.

06 Sam loves __________ parents.
샘은 그의 부모님을 사랑한다.

07 We don't want __________.
우리는 그것들을 원하지 않는다.

08 Mr. Johnson is my English teacher. I like __________.
존슨 씨는 나의 영어선생님이다. 나는 그를 좋아한다.

09 I have 3 dogs. I walk __________ every day.
나는 개가 3마리 있다. 나는 그것들을 매일 산책시킨다.

10 They visit __________ every week.
그들은 우리를 매주 방문한다.

Words
- **meet** 만나다
- **use** 사용하다
- **help** 도와주다
- **visit** 방문하다
- **every week** 매주

MEMO

MEMO

Inkbooks
www.inkbooks.co.kr
구매문의 02) 455 9620